The Country

The Country of Women

A Story in Simplified Chinese and Pinyin,
1800 Word Vocabulary level

Book 18 of the *Journey to the West* Series

Written by Jeff Pepper
Chinese Translation by Xiao Hui Wang

Based on chapters 53 through 55 of the original
Chinese novel *Journey to the West* by Wu Cheng'en

IMAGIN8
PRESS

Published in the United States by Imagin8 Press LLC, Verona, Pennsylvania, US. For information, contact us via email at info@imagin8press.com, or visit www.imagin8press.com.

Our books may be purchased directly in quantity at a reduced price, visit our website www.imagin8press.com for details.

Imagin8 Press, the Imagin8 logo and the sail image are all trademarks of Imagin8 Press LLC.

Written by Jeff Pepper
Chinese translation by Xiao Hui Wang
Cover design by Katelyn Pepper and Jeff Pepper
Book design by Jeff Pepper
Artwork by Next Mars Media, Luoyang, China
Audiobook narration by Junyou Chen

Based on the original 16th century Chinese novel by Wu Cheng'en, and the unabridged four-volume translation by Anthony C. Yu, University of Chicago Press, 2012 (revised edition)

ISBN: 978-1952601644
Version 03b

Acknowledgements

We are deeply indebted to the late Anthony C. Yu for his incredible four-volume translation, *The Journey to the West* (1983, revised 2012, University of Chicago Press). Many thanks to the team at Next Mars Media for their terrific illustrations, and Junyou Chen for narrating the audiobook.

Audiobook

A complete Chinese language audio version of this book is available free of charge. To access it, go to YouTube.com and search for the Imagin8 Press channel. There you will find free audiobooks for this and all the other books in this series.

You can also visit our website, www.imagin8press.com, to find a direct link to the YouTube audiobook, as well as information about our other books.

Preface

Here's a summary of the events of the previous books in the Journey to the West *series. The numbers in brackets indicate in which book in the series the events occur.*

Thousands of years ago, in a magical version of ancient China, a small stone monkey is born on Flower Fruit Mountain. Hatched from a stone egg, he spends his early years playing with other monkeys. They follow a stream to its source and discover a secret room behind a waterfall. This becomes their home, and the stone monkey becomes their king. After several years the stone monkey begins to worry about the impermanence of life. One of his companions tells him that certain great sages are exempt from the wheel of life and death. The monkey goes in search of these great sages, meets one and studies with him, and receives the name Sun Wukong. He develops remarkable magical powers, and when he returns to Flower Fruit Mountain he uses these powers to save his troop of monkeys from a ravenous monster. *[Book 1]*

With his powers and his confidence increasing, Sun Wukong manages to offend the underwater Dragon King, the Dragon King's mother, all ten Kings of the Underworld, and the great Jade Emperor himself. Finally, goaded by a couple of troublemaking demons, he goes too far, calling himself the Great Sage Equal to Heaven and sets events in motion that cause him some serious trouble. *[Book 2]*

Trying to keep Sun Wukong out of trouble, the Jade Emperor gives him a job in heaven taking care of his Garden of Immortal Peaches, but the monkey cannot stop himself from eating all the peaches. He impersonates a great Immortal and crashes a party in Heaven, stealing the guests' food and drink and barely escaping to his loyal troop of monkeys back on

Earth. In the end he battles an entire army of Immortals and men, and discovers that even calling himself the Great Sage Equal to Heaven does not make him equal to everyone in Heaven. As punishment, the Buddha himself imprisons him under a mountain. [Book 3]

Five hundred years later, the Buddha decides it is time to bring his wisdom to China, and he needs someone to lead the journey. A young couple undergo a terrible ordeal around the time of the birth of their child Xuanzang. The boy grows up as an orphan but at age eighteen he learns his true identity, avenges the death of his father and is reunited with his mother. Xuanzang will later fulfill the Buddha's wish and lead the journey to the west. [Book 4]

Another storyline starts innocently enough, with two good friends chatting as they walk home after eating and drinking at a local inn. One of the men, a fisherman, tells his friend about a fortuneteller who advises him on where to find fish. This seemingly harmless conversation between two minor characters triggers a series of events that eventually cost the life of a supposedly immortal being, and cause the great Tang Emperor himself to be dragged down to the underworld. He is released by the Ten Kings of the Underworld, but is trapped in hell and only escapes with the help of a deceased courtier. [Book 5]

Barely making it back to the land of the living, the Emperor selects the young monk Xuanzang to undertake the journey, after being strongly influenced by the great bodhisattva Guanyin. The young monk sets out on his journey. After many difficulties his path crosses that of Sun Wukong, and the monk releases him from his prison under a mountain. Sun Wukong becomes the monk's first disciple. [Book 6]

As their journey gets underway, they encounter a mysterious

river-dwelling dragon, then run into serious trouble while staying in the temple of a 270 year old abbot. Their troubles deepen when they meet the abbot's friend, a terrifying black bear monster, and Sun Wukong must defend his master. *[Book 7]*

The monk, now called Tangseng, acquires two more disciples. The first is the pig-man Zhu Bajie, the embodiment of stupidity, laziness, lust and greed. In his previous life, Zhu was the Marshal of the Heavenly Reeds, responsible for the Jade Emperor's entire navy and 80,000 sailors. Unable to control his appetites, he got drunk at a festival and attempted to seduce the Goddess of the Moon. The Jade Emperor banished him to earth, but as he plunged from heaven to earth he ended up in the womb of a sow and was reborn as a man-eating pig monster. He was married to a farmer's daughter, but fights with Sun Wukong and ends up joining and becoming the monk's second disciple. *[Book 8]*

Sha Wujing was once the Curtain Raising Captain but was banished from heaven by the Yellow Emperor for breaking an extremely valuable cup during a drunken visit to the Peach Festival. The travelers meet Sha and he joins them as Tangseng's third and final disciple. The four pilgrims arrive at a beautiful home seeking a simple vegetarian meal and a place to stay for the night. What they encounter instead is a lovely and wealthy widow and her three even more lovely daughters. This meeting is, of course, much more than it appears to be, and it turns into a test of commitment and virtue for all of the pilgrims, especially for the lazy and lustful pig-man Zhu Bajie. *[Book 9]*

Heaven continues to put more obstacles in their path. They arrive at a secluded mountain monastery which turns out to be the home of a powerful master Zhenyuan and an ancient and magical ginseng tree. As usual, the travelers' search for a nice hot meal and a place to sleep quickly turns into a disaster. Zhenyuan has gone away for a few days and has left his two youngest disciples in charge. They welcome the travelers, but soon there are misunderstandings, arguments, battles in the sky, and before long the travelers are facing a powerful and extremely angry adversary, as well as mysterious magic fruits and a large frying pan full of hot oil. *[Book 10]*

Next, Tangseng and his band of disciples come upon a strange pagoda in a mountain forest. Inside they discover the fearsome Yellow Robed Monster who is living a quiet life with his wife and their two children. Unfortunately the monster has a bad habit of ambushing and eating travelers. The travelers find themselves drawn into a story of timeless love and complex lies as they battle for survival against the monster and his allies. *[Book 11]*

The travelers arrive at level Top Mountain and encounter their most powerful adversaries yet: Great King Golden Horn and his younger brother Great King Silver Horn. These two monsters, assisted by their elderly mother and hundreds of well-armed demons, attempt to capture and liquefy Sun Wukong, and eat the Tang monk and his other disciples. *[Book 12]*

The monk and his disciples resume their journey. They stop to rest at a mountain monastery in Black Rooster Kingdom, and Tangseng is visited in a dream by someone claiming to be the ghost of a murdered king. Is he telling the truth or is he actually a demon in disguise? Sun Wukong offers to sort things out with his iron rod. But things do not go as planned. *[Book 13]*

While traveling the Silk Road, Tangseng and his three disciples encounter a young boy hanging upside down from a tree. They rescue him only to discover that he is really Red Boy, a powerful and malevolent demon and, it turns out, Sun Wukong's nephew. The three disciples battle the demon but soon discover that he can produce deadly fire and smoke which nearly kills Sun Wukong. *[Book 14]*

leaving Red Boy with the bodhisattva Guanyin, the travelers continue to the wild country west of China. They arrive at a strange city where Daoism is revered and Buddhism is forbidden. Sun Wukong gleefully causes trouble in the city, and finds himself in a series of deadly competitions with three Daoist Immortals. *[Book 15]*

Continuing westward, The Monkey King Sun Wukong leads the Tang monk and his two fellow disciples westward until they come to a village where the people live in fear of the Great Demon King who demands two human sacrifices each year. Sun Wukong and the pig-man Zhu Bajie try to trick the Demon King but soon discover that the Demon King has clever plans of his own. *[Book 16]*

Several months later, Sun Wukong steals rice from an elderly villager's kitchen, then Zhu Bajie takes three silk vests from a seemingly abandoned tower. These small crimes trigger a violent confrontation with a monster who uses a strange and powerful weapon to disarm and defeat the disciples. Helpless and out of options, Sun Wukong must journey to Thunderclap Mountain and beg the Buddha himself for help. *[Book 17]*

Springtime comes and the travelers continue their journey…

The Country of Women

女人国

Dì 53 Zhāng

Tángsēng hé tā de sān gè túdì líkāi le Jīnshān, jìxù xiàng xīxíng. Tāmen zǒu le jǐ gè yuè. Dōng xuě lái le, zài chūnyǔ zhōng huà le. Bīnglěng de dìmiàn zài tāmen de jiǎoxià biàn dé yòu ruǎn yòu shī. Shān hé shāngǔ cóng zōngsè biàn chéng le lǜsè. Niǎo er zài shù shàng chànggē.

Zǎochūn de yìtiān, yóurénmen lái dào le yìtiáo hé biān. Tāmen kěyǐ kàndào hé de nà yìbiān, dàn tā tài kuān tài shēn, Tángsēng de mǎ méiyǒu bànfǎ guòqù. Hé de lìng yìbiān yǒu yìxiē xiǎo fángzi. Sūn Wùkōng shuō, "Nà shì yígè xiǎo cūnzhuāng. Nàlǐ yīng gāi yǒu dùchuán sòng rén guò hé."

Tāmen zài zhǎo dùchuán, dàn méiyǒu kàndào rènhé dùchuán. Zhū fàngxià xínglǐ, hǎn dào, "Hēi, bǎidù rén! Hēi, bǎidù rén! Lái zhèlǐ!" Jǐ fēnzhōng hòu, yì zhī xiǎochuán cóng liǔshù xià chūxiàn, màn màn de chuānguò hé. Chuán hěn xiǎo, dàn yóurénmen kěyǐ kàn dào tā

第 53 章

唐僧和他的三个徒弟离开了金山，继续向西行。他们走了几个月。冬雪来了，在春雨中化了。冰冷的地面在他们的脚下变得又软[1]又湿。山和山谷从棕色变成了绿色。鸟儿在树上唱歌。

早春的一天，游人们来到了一条河边。他们可以看到河的那一边，但它太宽太深，唐僧的马没有办法过去。河的另一边有一些小房子。孙悟空说，"那是一个小村庄。那里应该有渡船[2]送人过河。"

他们在找渡船，但没有看到任何渡船。猪放下行李，喊道，"嘿，摆渡人[3]！嘿，摆渡人！来这里！"几分钟后，一只小船从柳树下出现，慢慢地穿过河。船很小，但游人们可以看到它

---

[1] 软　　 ruǎn – soft
[2] 渡船　 dùchuán – ferry
[3] 摆渡人　 bǎidù rén – ferryman

zúgòu de dà, kěyǐ zhuāng xià tāmen, tāmen de mǎ hé tāmen de xínglǐ.

Dùchuán dào le hé àn. Chuánshàng de rén jiàodào, "Rúguǒ nǐmen yào guò hé, dòng qǐlái." Tángsēng gǎnzhe mǎ xiàng qián zǒu. Tā zǐxì kàn le chuánshàng de rén. Tā chījīng de kàndào, zhè shì yígè chuānzhe jiù wàiyī, dàizhe jiù màozi de lǎo fùrén. Tā de shǒu hěn yǒulì, tā de pífū shì fēnghuà de zōng huáng sè.

Sūn Wùkōng zǒu dào chuán biān, shuō, "Nǐ zài kāi chuán?"

"Shìde," fùrén shuō.

"Bǎidù rén ne?"

Fùrén xiào le xiào, méiyǒu huídá. Tā děngzhe sì gè yóurén hé mǎ zǒu shàng chuán. Ránhòu tā bǎ chuán tuī lí àn biān, huá chuán guò hé dào hé de lìng yígè àn biān. Tā bǎ chuánshàng de shéngzi bǎng zài yì gēn zhùzi shàng, děngzhe yóurénmen xiàchuán. Tángsēng ràng Shā Wùjìng gěi tā jǐ fēn qián. Fùrén ná le qián jiù zǒu le. Tāmen kěyǐ tīngdào tā zǒulù

足够的大，可以装下他们、他们的马和他们的行李。

渡船到了河岸。船上的人叫道，"如果你们要过河，动起来。"唐僧赶着马向前走。他仔细看了船上的人。他吃惊地看到，这是一个穿着旧外衣、戴着旧帽子的老妇人。她的手很有力，她的皮肤是风化[4]的棕黄色。

孙悟空走到船边，说，"你在开船？"

"是的，"妇人说。

"摆渡人呢？"

妇人笑了笑，没有回答。她等着四个游人和马走上船。然后她把船推离岸边，划[5]船过河到河的另一个岸边。她把船上的绳子绑在一根柱子上，等着游人们下船。唐僧让沙悟净给她几分钱。妇人拿了钱就走了。他们可以听到她走路

---

[4] 风化 　　fēnghuà – weathered
[5] 划　　　huá – to row

shí fāchū de xiào shēng.

Tángsēng juédé hěn kě. Tā kànzhe shuǐ. Tā kàn qǐlái hěn qīng hěn gānjìng. "Zhū," tā shuō, "ná yàofàn de wǎn, bǎ tā zhuāng mǎn shuǐ. Wǒ kě le." Zhū bǎ wǎn fàng jìn hé lǐ, zhuāng mǎn le shuǐ. Tā bǎ wǎn gěi Tángsēng, Tángsēng hē le yìbēi zuǒyòu de shuǐ. Ránhòu Zhū bǎ shèng xià de shuǐ dào jìn le tā zìjǐ de zuǐ lǐ.

Tāmen jìxù xiàng xī zǒu. Dànshì, bú dào bàn gè xiǎoshí, Tángsēng hé Zhū dōu kāishǐ gǎndào dùzi hěn tòng. "Tài tòngle!" Tāmen liǎng gè jiàodào. Tāmen de dùzi kāishǐ dà qǐlái. Tángsēng bǎ shǒu fàng zài tā de dùzi shàng. Tā gǎnjué dào yǒu shénme dōngxi zài tā de pífū xià dòng.

Hěn kuài, tāmen lái dào le lìng yígè xiǎo cūnzhuāng. "Děng zài zhèlǐ," Sūn Wùkōng shuō. "Wǒ zhǎo rén gěi nǐmen yìdiǎn yào."

Tā zǒu dào yígè zuò zài jiā mén qián de lǎo fùrén shēnbiān. Tā duì tā shuō, "Pópo, zhège kělián de héshang, shì cóng dōngfāng Táng guó

时发出的笑声。

唐僧觉得很渴。他看着水。它看起来很清很干净。"猪，"他说，"拿要饭的碗，把它装满水。我渴了。"猪把碗放进河里，装满了水。他把碗给唐僧，唐僧喝了一杯左右的水。然后猪把剩下[6]的水倒进了他自己的嘴里。

他们继续向西走。但是，不到半个小时，唐僧和猪都开始感到肚子很痛。"太痛了！"他们两个叫道。他们的肚子开始大起来。唐僧把手放在他的肚子上。他感觉到有什么东西在他的皮肤下动。

很快，他们来到了另一个小村庄。"等在这里，"孙悟空说。"我找人给你们一点药。"

他走到一个坐在家门前的老妇人身边。他对她说，"婆婆[7]，这个可怜的和尚，是从东方唐国

---

[6] 剩下　　shèng xià – remainder, rest
[7] 婆婆　　pópo – grandmother, mother-in-law

lái de. Wǒ de shīfu qù xītiān zhǎo fózǔ de shèng shū.

Bùjiǔ qián, tā hē le yìdiǎn hé lǐ de shuǐ. Xiànzài tā bìng dé yǒudiǎn lìhài. Zhèlǐ yǒurén kěyǐ bāngzhù wǒmen ma?"

Fùrén xiàozhe shuō, "Nàme shuō, nǐmen shì hē le hé lǐ de shuǐle? Nǐmen dōu jìn wǒjiā lái ba, wǒ gàosù nǐmen yìxiē shì." Sì gè yóurén gēnzhe tā jìn le tā de fángzi.

Sūn Wùkōng bāngzhe Tángsēng zǒulù, Shā bāngzhe Zhū. Sūn Wùkōng duì tā shuō, "Pópo, qǐng gěi wǒ shīfu yìxiē wēnshuǐ hē." Dànshì lǎo fùrén pǎo dào wàimiàn, jiào tā de péngyǒumen guòlái kàn. Hěn kuài, jǐ gè zhōng nián nǚrén jìn le wūzi. Tāmen zhǐzhe yóurén, dàshēng xiào le qǐlái.

Zhè ràng Sūn Wùkōng hěn shēngqì. Tā zhuāzhù lǎo fù rén, shuō, "kuài gěi wǒmen yìdiǎn rè shuǐ, bú zhèyàng zuò wǒ jiù yòng bàng dǎ nǐ."

Dànshì nà fùrén zhǐshì shuō, "Rè shuǐ bùnéng bāng nǐmen. Fàng kāi wǒ, wǒ jiù huì gàosù nǐ."

Sūn Wùkōng fàng kāi le tā. Tā shuō, "Nǐmen zài Nǚrén Guó lǐ, zài Xīliáng Wángguó. Zhèlǐ méiyǒu nánrén, zhǐyǒu nǚrén hé

来的。我的师父去西天找佛祖的圣书。不久前，他喝了一点河里的水。现在他病得有点厉害。这里有人可以帮助我们吗？"

妇人笑着说，"那么说，你们是喝了河里的水了？你们都进我家来吧，我告诉你们一些事。"四个游人跟着她进了她的房子。孙悟空帮着唐僧走路，沙帮着猪。

孙悟空对她说，"婆婆，请给我师父一些温水喝。"但是老妇人跑到外面，叫她的朋友们过来看。很快，几个中年女人进了屋子。她们指着游人，大声笑了起来。

这让孙悟空很生气。他抓住老妇人，说，"快给我们一点热水，不这样做我就用棒打你。"

但是那妇人只是说，"热水不能帮你们。放开我，我就会告诉你。"

孙悟空放开了她。她说，"你们在女人国里，在西梁王国。这里没有男人，只有女人和女

hái. Nǐmen hěn bèn de hē le Mǔzǐ Hé de shuǐ. Dāng yígè

niánqīng de nǚrén dào le èrshí suì, xiǎng yào huáiyùn shí,

tā jiù hē nà tiáo hé lǐ de shuǐ. Nǐ shīfu hē le nà héshuǐ, nà

zhī chǒu zhū yě hē le. Tāmen liǎ xiànzài dōu huáiyùn le.

Rè shuǐ bú huì gǎibiàn nàge qíngkuàng!"

"Ò, bù hǎole!" Zhū jiàodào. "Wǒmen shì nánrén. Háizi

zěnme cóng wǒmen shēnshàng chūlái?"

"Búyòng dānxīn." Sūn Wùkōng xiào dào. "Gǔrén shuō,

'Shuǐguǒ chéngshú le, tā zìjǐ huì diào xiàlái.' Kěnéng xiǎo

háizi huì cóng nǐ yè xià de dòng lǐ chūlái."

"Wǒ yào sǐ le, wǒ yào sǐ le," Zhū dà hǎnzhe, yáodòngzhe

tā de shēntǐ.

Shā duì tā shuō, "Èr gē, bié yáo dé zhème lìhài. Nǐ

kěnéng huì shānghài dào háizi."

Sūn Wùkōng duì fùrén shuō, "Nǐ yǒu shénme yào kěyǐ

tíngzhǐ huái

孩。你们很笨地喝了母子河的水。当一个年轻的女人到了二十岁，想要怀孕时，她就喝那条河里的水。你师父喝了那河水，那只丑猪也喝了。他们俩现在都怀孕了。热水不会改变那个情况！"

"哦，不好了！"猪叫道。"我们是男人。孩子怎么从我们身上出来？"

"不用担心。"孙悟空笑道。"古人说，'水果成熟了，它自己会掉下来。'可能小孩子会从你腋[8]下的洞里出来。"

"我要死了，我要死了，"猪大喊着，摇动着他的身体。

沙对他说，"二哥，别摇得这么厉害。你可能会伤害到孩子。"

孙悟空对妇人说，"你有什么药可以停止怀

---

[8] 腋　　　　yè – armpit

yùn?"

Nǚrén huídá shuō, "yào bùnéng bāng nǐmen. Dàn rúguǒ nǐmen xiàng nán zǒu jǐ lǐ, nǐmen jiù huì lái dào Jiē Yáng Shān. Shānshàng yǒu ge shāndòng. Dòng lǐ yǒu yìkǒu jǐng. Rúguǒ nǐmen hē nà jǐng lǐ de shuǐ, nǐmen jiù kěyǐ jiéshù huáiyùn."

"Tīng qǐlái búcuò," Sūn Wùkōng shuō.

"A, dàn zhè bù róngyì. Qùnián, yì wèi dàoshì lái dào dòng zhōng. Tā bú zài miǎnfèi sòng mó shuǐ. Nǐ bìxū gěi tā qián, ròu, jiǔ hé shuǐguǒ. Ránhòu tā huì gěi nǐ yì xiǎo bēi shuǐ. Dàn nǐmen shì kělián de héshang. Nǐmen méiyǒu qián, suǒyǐ nǐmen bùnéng cóng tā nàlǐ dédào shuǐ."

"Pópo," Sūn Wùkōng shuō, "Zhèlǐ lí Jiē Yáng Shān hái yǒu duō yuǎn?"

"Yǒu sān qiān lǐ zuǒyòu," tā huídá.

孕？"

女人回答说，"药不能帮你们。但如果你们向南走几里，你们就会来到解阳山[9]。山上有个山洞。洞里有一口井。如果你们喝那井里的水，你们就可以结束怀孕。"

"听起来不错，"孙悟空说。

"啊，但这不容易。去年，一位道士来到洞中。他不再免费[10]送魔水。你必须给他钱、肉、酒和水果。然后他会给你一小杯水。但你们是可怜的和尚。你们没有钱，所以你们不能从他那里得到水。"

"婆婆，"孙悟空说，"这里离解阳山还有多远？"

"有三千里左右，"她回答。

---

[9] The Male Undoing Mountain. 解 (jiě) means to untie or undo. 阳 (yáng) is the male principle in Daoism.

[10] 免费   miǎnfèi – give for free

"Hěn hǎo!" tā shuō. Tā ràng Shā Wùjìng zhàogù
Tángsēng hé Zhū. Fùrén gěi le tā yígè dà wǎn, yào tā zài
wǎn lǐ zhuāng mǎn mó shuǐ. Sūn Wùkōng ná le wǎn. Tā
tiào dào kōngzhōng, yòng tāde jīndǒu yún, xiàng nán fēi
qù Jiě Yáng Shān.

Guò le yīhuǐ'er, tā lái dào le yízuò gāoshān. Zài jìn
shānjiǎo de dìfāng, tā kàndào yí dòng fángzi. Fēicháng
piàoliang. Fángzi qián, yǒu yìtiáo xiǎo xī cóng mù qiáo xià
liúguò. Tā zǒuxiàng dàmén. Mén wài de dìshàng, zuòzhe
yí wèi lǎo dàoshì. Sūn Wùkōng fàngxià wǎn, xiàng dàoshì
jūgōng.

Dàoshì diǎn le diǎn tóu, shuō, "Nǐ cóng nǎlǐ lái? Nǐ
wèishénme huì lái wǒ de xiǎo shāndòng?"

Sūn Wùkōng huídá, "Zhège kělián de héshang hé Táng
dìguó de yí wèi shèng sēng yìqǐ xíngzǒu zài lǚtú shàng.
Wǒmen zhèngzài qiánwǎng xītiān. Wǒ de shīfu kě le, hěn
bèn de hē le Mǔzǐ Hé de shuǐ. Xiànzài tā de dùzi dà le,
tòng dé lìhài. Yǒurén gàosù wǒ, zài zhège shāndòng lǐ
yǒu shuǐ kěyǐ bāngzhù tā. Wǒ qǐng nǐ gěi wǒmen yìxiē
nàyàng de shuǐ."

"很好！"他说。他让沙悟净照顾唐僧和猪。妇人给了他一个大碗，要他在碗里装满魔水。孙悟空拿了碗。他跳到空中，用他的筋斗云，向南飞去解阳山。

过了一会儿，他来到了一座高山。在近山脚的地方，他看到一栋房子。非常漂亮。房子前，有一条小溪从木桥下流过。他走向大门。门外的地上，坐着一位老道士。孙悟空放下碗，向道士鞠躬。

道士点了点头，说，"你从哪里来？你为什么会来我的小山洞？"

孙悟空回答，"这个可怜的和尚和唐帝国的一位圣僧一起行走在旅途上。我们正在前往西天。我的师父渴了，很笨地喝了母子河的水。现在他的肚子大了，痛得厉害。有人告诉我，在这个山洞里有水可以帮助他。我请你给我们一些那样的水。"

Dàoshì huídá, "Wǒ shīfu shì Zhēn Xiān. Zhè shì tā de shāndòng, zhè shì tā de shuǐ. Rúguǒ nǐ xiǎng yào yìxiē tā de shuǐ, nǐ bìxū dài lǐwù lái. Wǒ kàn nǐ shìge qióng héshang, nǐ méiyǒu lǐwù. Qǐng mǎshàng líkāi. Wǒmen méiyǒu shénme kěyǐ gěi nǐ de."

"Qǐng gàosù nǐ de shīfu, Sūn Wùkōng, Qítiān Dàshèng lái le. Kěnéng tā huì gěi wǒ yìxiē shuǐ. Kěnéng tā huì bǎ zhěnggè shāndòng dōu gěi wǒ."

Dàoshì zǒu jìn dòng lǐ, duì tā de shīfu shuō, "Xiānshēng, wàibian yǒu ge fú héshang. Tā shuō tā shì Sūn Wùkōng, Qítiān Dàshèng. Tā xiǎng yào yìxiē wǒmen de shuǐ."

Xiānrén tīng le yǐhòu, fēicháng de shēngqì. Tā tiào qǐlái, pǎo dào dòng wài. Tā hǎndào, "Nǐ zhēn de shì Sūn Wùkōng, háishì lìng yígè rén yòngzhe tā de míngzì?"

Sūn Wùkōng kànzhe xiānrén. Tā hóng húzi, hóng tóufà hé jiān bái yá. Tā chuānzhe yí jiàn yǒuzhe jīn xiàn de hóngsè cháng yī. Tā de tóushàng dàizhe yì dǐng xǔduō yánsè de màozi. Tā de zuǒshǒu názhe yí

道士回答，"我师父是<u>真仙</u>。这是他的山洞，这是他的水。如果你想要一些他的水，你必须带礼物来。我看你是个穷[11]和尚，你没有礼物。请马上离开。我们没有什么可以给你的。"

"请告诉你的师父，<u>孙悟空</u>，<u>齐天大圣</u>来了。可能他会给我一些水。可能他会把整个山洞都给我。"

道士走进洞里，对他的师父说，"先生，外边有个佛和尚。他说他是<u>孙悟空</u>，<u>齐天大圣</u>。他想要一些我们的水。"

仙人听了以后，非常的生气。他跳起来，跑到洞外。他喊道，"你真的是<u>孙悟空</u>，还是另一个人用着他的名字？"

<u>孙悟空</u>看着仙人。他红胡子、红头发和尖白牙。他穿着一件有着金线的红色长衣。他的头上戴着一顶许多颜色的帽子。他的左手拿着一

---

[11] 穷　　　　qióng – poor (having no money)

29

gè hěn jiān de jīn gōu. Sūn Wùkōng duì xiānrén shuō,
"Wǒ dāngrán shì Sūn Wùkōng. Gǔrén shuō, "Hǎorén
zhànzhe bù gǎixìng, zuòzhe bù gǎimíng."

"Nǐ rènchū wǒ le ma?"

"Xiānshēng, wǒ zài wàimiàn yóu zǒu le duōnián, cónglái
méiyǒu jiànguò nǐ zhèyàng hǎokàn de liǎn."

"Nǐ shīfu shì Tángsēng ma?"

"Shì de."

"Nǐ xīyóu de shíhòu, yǒu méiyǒu yùdàoguò yí wèi Shèng
Yīng Dàwáng?"

"Shì de, jiùshì nàge xiǎomíng jiào Hóng Hái'ér de móguǐ.
Zhēn xiān wèishénme wèn zhège?"

"Wǒ shì tā de jiùjiu. Niú Mówáng shì wǒ de gēge. Qián
xiē shíhòu tā gěi wǒ xiě le yì fēng xìn, shuō Tángsēng de
dà túdì Sūn Wùkōng gěi tā de érzi Shèng Yīng Dàwáng
dài lái le kěpà de shānghài. Wǒ bù zhīdào qù nǎlǐ zhǎo nǐ.
Dànshì xiànzài nǐ lái le, zhàn zài wǒ de

个很尖的金钩。孙悟空对仙人说，"我当然是孙悟空。古人说，"好人站着不改姓，坐着不改名。"

"你认出我了吗？"

"先生，我在外面游走了多年，从来没有见过你这样好看的脸。"

"你师父是唐僧吗？"

"是的。"

"你西游的时候，有没有遇到过一位圣婴大王？"

"是的，就是那个小名叫红孩儿的魔鬼。真仙为什么问这个？"

"我是他的舅舅。牛魔王是我的哥哥。前些时候他给我写了一封信，说唐僧的大徒弟孙悟空给他的儿子圣婴大王带来了可怕的伤害。我不知道去哪里找你。但是现在你来了，站在我的

shāndòng qián, yào shuǐ!"

Sūn Wùkōng xiào le, xiǎng ràng xiānrén lěngjìng xiàlái.

"Xiānshēng, nǐ cuò le. Nǐde gēge shì wǒde péngyǒu, wǒ de qīn xiōngdì. Tā de érzi yìdiǎn dōu méiyǒu shòudào shānghài. Tā chéngwéi Guānyīn púsà de túdì. Tā xiànzài de míngzì shì Shàncái Tóngzǐ."

"Tíngzhǐ shàngxià fāndòng nǐde shétou, nǐ zhè lǎo hóuzi! Nǐ rènwéi Hóng Hái'ér zuò Guānyīn de núlì bǐ tā zuò guówáng de shíhòu gèng hǎo ma? Dāngrán búshì. Wǒ yào bàochóu!" Tā yòng tā de gōuzi dǎ xiàng Sūn Wùkōng.

Sūn Wùkōng dǎngzhù le gōuzi, shuō, "Xiānshēng, qǐng tíngzhǐ shuō zhè zhǒng dǎ de huà. Zhǐyào gěi wǒ yìdiǎn shuǐ, wǒ jiù líkāi."

"Nǐ zhège bèn rén! Nǐ bù kěnéng dǎ yíng wǒ. Rúguǒ nǐ néng huó shíwǔ fēnzhōng, wǒ jiù gěi nǐ shuǐ. Rúguǒ bùnéng, wǒ jiù bǎ nǐ kǎn le, chéngwéi wǒ wǎnfàn de ròu!"

Jiù zhèyàng, liǎng rén zài shāndòng qián kāishǐ le zhàndòu. Shī zhōng shuō,

山洞前，要水！"

孙悟空笑了，想让仙人冷静[12]下来。"先生，你
错了。你的哥哥是我的朋友，我的亲兄弟。他
的儿子一点都没有受到伤害。他成为观音菩萨
的徒弟。他现在的名字是善财童子。"

"停止上下翻动你的舌头，你这老猴子！你认
为红孩儿做观音的奴隶比他做国王的时候更好
吗？当然不是。我要报仇！"他用他的钩子打
向孙悟空。

孙悟空挡住了钩子，说，"先生，请停止说这
种打的话。只要给我一点水，我就离开。"

"你这个笨人！你不可能打赢我。如果你能活
十五分钟，我就给你水。如果不能，我就把你
砍了，成为我晚饭的肉！"

就这样，两人在山洞前开始了战斗。诗中说，

---

[12] 冷静　　lěngjìng – calm

Shèng sēng hē le xī zhōng de shuǐ

Suǒyǐ dà shèng yídìng yào zhǎo mó shuǐ

Shuí zhīdào zhè bèi Zhēn Xiān shǒuwèizhe?

Tāmen shuōzhe fènnù dehuà, tāmen zhàndòu dào sǐ

Yígè wèi tā de shīfu lái zhǎo shuǐ

Lìng yígè wèi tā gēge de érzi lái bàochóu

Xiàng xiēzi yíyàng kuài de gōu

Xiǎng zhuā zhù hóuzi de tuǐ

Xiàng lóng yíyàng qiáng de jīn gū bàng

Xiǎng dǎ xiānrén de xiōng

Zhàndòu le yìtiān, liǎng gè rén dōu xiǎng yíng

Gōu yícì yícì de gōu, bàng yícì yícì de dǎ

Dàn méiyǒu rén néng yíng zhè chǎng zhàndòu.

Zhēn Xiān lèi le. Tā pǎo jìn le dòng de hòumiàn, xiāoshī bùjiàn le. Sūn Wùkōng méiyǒu gēnzhe tā. Tā názhe wǎn zǒu jìnlù, pǎo jìn shāndòng. Tā yòng jǐng lǐ de shuǐ zhuāng mǎn le wǎn. Jiù zài zhè shí, Zhēn Xiān cóng dòng de hòumiàn zǒu le chūlái, huīzhe tā de gōu.

Sūn Wùkōng yì zhī shǒu názhe wǎn, lìng yì zhī shǒu názhe jīn gū bàng.

圣僧喝了溪中的水

所以大圣一定要找魔水

谁知道这被真仙守卫着？

他们说着愤怒的话，他们战斗到死

一个为他的师父来找水

另一个为他哥哥的儿子来报仇

像蝎子[13]一样快的钩

想抓住猴子的腿

像龙一样强的金箍棒

想打仙人的胸

战斗了一天，两个人都想赢

钩一次一次的钩，棒一次一次的打

但没有人能赢这场战斗。

真仙累了。他跑进了洞的后面，消失不见了。
孙悟空没有跟着他。他拿着碗走近路，跑进山洞。他用井里的水装满了碗。就在这时，真仙从洞的后面走了出来，挥着他的钩。

孙悟空一只手拿着碗，另一只手拿着金箍棒。

---

[13] 蝎子　　xiēzi – scorpion

Zhè ràng tā hěn nán zhàndòu. Zhēn Xiān yòng gōuzi gōu zhù le Sūn Wùkōng de tuǐ, zhè ràng tā dǎo le xiàlái, wǎn diào zài dìshàng. Sūn Wùkōng bùnéng dǎ, yě ná bú dào shuǐ, suǒyǐ tā zhuǎnshēn, fēi chū le shāndòng, shuō, "Wǒ xūyào bāngzhù."

Tā huí dào lǎo fùrén de jiā, bǎ dòng lǐ fāshēng de yíqiè dōu gàosù le Tángsēng hé Zhū. "Xiànzài, wǒ xūyào Shā gēn wǒ lái. Zài Shā qǔshuǐ de shíhòu, wǒ huì hé Zhēn Xiān zhàndòu."

Tángsēng shuō, "Kěshì nǐ zǒu le, shuí lái zhàogù wǒmen?"

"Bié dānxīn," lǎo fùrén shuō, "wǒ huì zhàogù nǐmen de. Nǐmen yùnqì hǎo lái dào wǒjiā."

"Wǒmen wèishénme yùnqì hǎo?" Sūn Wùkōng wèn.

"Jìdé ma, zhège cūnzi lǐ méiyǒu nánrén. Wǒ lǎo le, bú zài duì àiqíng gǎn xìngqù. Dànshì qítā yìxiē fángzi lǐ yǒu niánqīng nǚrén. Rúguǒ nǐ dào tāmen de jiā, tāmen huì xiǎng hé nǐ zuò ài. Rúguǒ nǐ jùjué, tāmen huì shā le nǐ, bǎ nǐ kǎn chéng xiǎo kuài."

这让他很难战斗。真仙用钩子钩住了孙悟空的腿，这让他倒了下来，碗掉在地上。孙悟空不能打，也拿不到水，所以他转身，飞出了山洞，说，"我需要帮助。"

他回到老妇人的家，把洞里发生的一切都告诉了唐僧和猪。"现在，我需要沙跟我来。在沙取水的时候，我会和真仙战斗。"

唐僧说，"可是你走了，谁来照顾我们？"

"别担心，"老妇人说，"我会照顾你们的。你们运气好来到我家。"

"我们为什么运气好？"孙悟空问。

"记得吗，这个村子里没有男人。我老了，不再对爱情感兴趣。但是其他一些房子里有年轻女人。如果你到她们的家，她们会想和你做爱。如果你拒绝，她们会杀了你，把你砍成小块。"

"Zhè tīng qǐlái búcuò," Zhū shuō. "Chúle shārén de nà bùfèn."

"Zhū, liúzhe nǐ de lìliàng," Sūn Wùkōng shuō. "Dāng nǐ de háizi chūlái de shíhòu, nǐ huì xūyào tā."

Sūn Wùkōng hé Shā dàizhe yì zhī shuǐtǒng hé liǎng tiáo shéngzi líkāi le wūzi. Tāmen fēi dào le Jiě Yáng Shān. Sūn Wùkōng duì Shā shuō, "Názhe tǒng hé shéngzi. Duǒ zài dòng wài. Wǒ huì hé Zhēn Xiān kāishǐ zhàndòu. Dāng zhàndòu kāishǐ shí, nǐ jìn shāndòng, cóng jǐng lǐ qǔshuǐ. Ránhòu kuài kuài líkāi."

Sūn Wùkōng zǒu dào shāndòng qián, hǎn dào, "Kāimén! Kāimén!"

Zhēn Xiān chūlái huídá shuō, "Zhèshì wǒ de dòng, zhèshì wǒ de shuǐ. Lián guówáng yě bìxū wéi yì diǎndiǎn de shuǐ xiàng wǒ qǐngqiú. Nǐ shénme dōu méiyǒu gěi wǒ, wǒ yě méiyǒu kàndào nǐ zài qiú wǒ. Suǒyǐ líkāi zhèlǐ."

Sūn Wùkōng názhe tā de jīn gū bàng chōng xiàng Zhēn Xiān, liǎng rén yòu kāishǐ

"这听起来不错，"猪说。"除了杀人的那部分[14]。"

"猪，留着你的力量，"孙悟空说。"当你的孩子出来的时候，你会需要它。"

孙悟空和沙带着一只水桶和两条绳子离开了屋子。他们飞到了解阳山。孙悟空对沙说，"拿着桶和绳子。躲在洞外。我会和真仙开始战斗。当战斗开始时，你进山洞，从井里取水。然后快快离开。"

孙悟空走到山洞前，喊道，"开门！开门！"

真仙出来回答说，"这是我的洞，这是我的水。连国工也必须为一点点的水向我请求。你什么都没有给我，我也没有看到你在求我。所以离开这里。"

孙悟空拿着他的金箍棒冲向真仙，两人又开始

---

[14] 部分　　bùfèn – part

le zhàndòu. Zài tāmen zhàndòu de shíhòu, Shā jìnrù le shāndòng, zhǎodào le jǐng, zhuāng mǎn le tǒng. Lǎo dàoshì kàndào le tā. Tā shuō, "Nǐ shì shuí, lái tōu wǒmen de shuǐ?"

Shā yòng tāde guǎizhàng dǎ tā, dǎ duàn le dàoshì de jiān hé shǒubì. Dàoshi dǎo zài dìshàng. Shā shuō, "Lǎorén, wǒ búhuì shā nǐ de. Bié dǎng wǒ de lù." Tā náqǐ shuǐtǒng, pǎo chū le shāndòng. Tā duì Sūn Wùkōng hǎn dào, "Gēge, wǒ ná le shuǐ. Nǐ bù xūyào shā Zhēn Xiān!"

Sūn Wùkōng tíngzhǐ le zhàndòu. Tā duì Zhēn Xiān shuō, "Wǒ kěyǐ hěn róngyì de shā le nǐ. Dàn ràng yígè rén huózhe zǒngshì bǐ shā le tā hǎo, suǒyǐ wǒ huì ràng nǐ zǒu. Dànshì cóng xiànzài kāishǐ nǐ bìxū g rènhé yào shuǐ de rén miǎnfèi de shuǐ."

"Yǒngyuǎn bú huì!" Zhēn Xiān jiàodào, tā chōng xiàng Sūn Wùkōng. Hóuzi zhuā zhù le xiānrén de gōu. Tā bǎ tā suì chéng liǎng kuài. Ránhòu tā bǎ nà liǎng kuài suì chéng sì kuài. Tā bǎ suìpiàn rēng zài dìshàng, hǎn dào, "Xiànzài nǐ tóngyì miǎnfèi gěi shuǐ le ma?" Xiānrén bù shuō

了战斗。在他们战斗的时候，沙进入了山洞，找到了井，装满了桶。老道士看到了他。他说，"你是谁，来偷我们的水？"

沙用他的拐杖打他，打断了道士的肩和手臂。道士倒在地上。沙说，"老人，我不会杀你的。别挡我的路。"他拿起水桶，跑出了山洞。他对孙悟空喊道，"哥哥，我拿了水。你不需要杀真仙！"

孙悟空停止了战斗。他对真仙说，"我可以很容易地杀了你。但让一个人活着总是比杀了他好，所以我会让你走。但是从现在开始你必须给任何要水的人免费的水。"

"永远不会[15]！"真仙叫道，他冲向孙悟空。猴子抓住了仙人的钩。他把它碎成两块。然后他把那两块碎成四块。他把碎片扔在地上，喊道，"现在你同意免费给水了吗？"仙人不说

---

[15] 永远不会 yǒngyuǎn bú huì – will never

41

huà, zhǐshì kànzhe zìjǐ suì le de wǔqì, diǎn le diǎn tóu.

Sūn Wùkōng yòng tā de jīndǒu yún hěn kuài de fēi huí le cūnzi.

Sūn Wùkōng hé Shā jìn le wūzi. Tāmen kàndào, Tángsēng hé Zhū dōu kuàiyào shēng háizi le. Lǎo fùrén shuō, "Kuài, gěi wǒ shuǐ!" Tā bǎ yígè bēizi fàng rù tǒng zhōng, wǎng bēizi lǐ zhuāng shuǐ. "Bǎ zhège màn màn hē xiàqù," tā duì Tángsēng shuō, "Tā huì huà le nǐ dùzi lǐ de háizi."

Zhū zhuāqǐ shuǐtǒng shuō, "Wǒ búyào bēizi!"

"Děng děng!" tā duì tā hǎn dào. "Rúguǒ nǐ hè yì tǒng shuǐ, nǐ shēntǐ lǐ de yíqiè dūhuì huà le, nǐ huì tòngkǔ de sǐqù." Zhū zhǐ hē le bàn tǒng shuǐ.

Hěn kuài, tāmen de tòngkǔ jiù biàn xiǎo le. Liǎng rén dōu zhāojí de yào qù cèsuǒ. Lǎo fùrén bǎ mǎtǒng gěi le tāmen liǎng gè. Tāmen zǒu dào wàimiàn, huā le yìxiē shíjiān zhuāng mǎn le mǎtǒng. Tāmen de tòng tíngzhǐ le, tāmen de dù zǐ huí dào le zhèngcháng dàxiǎo. Yìxiē fù

话，只是看着自己碎了的武器，点了点头。孙悟空用他的筋斗云很快地飞回了村子。

孙悟空和沙进了屋子。他们看到，唐僧和猪都快要生孩子了。老妇人说，"快，给我水！"她把一个杯子放入桶中，往杯子里装水。"把这个慢慢喝下去，"她对唐僧说，"它会化了你肚子里的孩子。"

猪抓起水桶说，"我不要杯子！"

"等等！"她对他喊道。"如果你喝一桶水，你身体里的一切都会化了，你会痛苦地死去。"猪只喝了半桶水。

很快，他们的痛苦就变小了。两人都着急地要去厕所。老妇人把马桶给了他们两个。他们走到外面，花了一些时间装满了马桶。他们的痛停止了，他们的肚子回到了正常[16]大小。一些妇

---

rén zhǔnbèi le yìxiē tāng gěi tāmen hē.

"Shèng fù, shèngxià de shuǐ kěyǐ gěi wǒmen ma?"

Lǎo fùrén wèn. "Zhū, nǐ hái xūyào shuǐ ma?" Tángsēng
wèn.

"Bù xūyào le, wǒ gǎnjué bùcuò," Zhū huídá. Suǒyǐ
Tángsēng bǎ shèngxià de shuǐ gěi le lǎo fùrén. Nǚrénmen
wèi sì wèi yóurén zhǔnbèi le sùshí. Tāmen dōu chī le yí
dùn hàochī de wǎnfàn, ránhòu tāmen xiūxi le yíyè. Dì èr
tiān zǎoshàng, tāmen líkāi le cūnzi, jìxù zǒu tāmen de lù.

人准备了一些汤给他们喝。

"圣父，剩下的水可以给我们吗？"老妇人
问。

"猪，你还需要水吗？"唐僧问。

"不需要了，我感觉不错，"猪回答。所以唐
僧把剩下的水给了老妇人。女人们为四位游人
准备了素食。他们都吃了一顿好吃的晚饭，然
后他们休息了一夜。第二天早上，他们离开了
村子，继续走他们的路。

Dì 54 Zhāng

Zǒu le yǒu sìshí lǐ zuǒyòu de lù hòu, yóurénmen lái dào le yígè chéngshì. Tángsēng duì túdìmen shuō, "Jìzhù, wǒmen hái zài Nǚrén Guó. Nǐmen suǒyǒu de rén dōu bìxū xiàng héshang nàyàng zuòshì, búyào xiàng huāngyě lǐ de dòngwù. Zūnjìng biérén, kòngzhì nǐmen de yùwàng."

Tāmen jìn le chéng. Hěn kuài, tāmen jiù dào le yígè jíshì. Tāmen kàndào jǐ bǎi míng nǚrén hé nǚhái, tāmen zài mǎimài xǔduō bùtóng de dōngxi. Nà lǐ yǒu mài shíwù, yào hé yīfú de shāngdiàn. Nà lǐ yǒu jiǔdiàn, chádiàn hé xiǎo fànguǎn. Hěnduō rén dōu zài jiēdào shàng. Dāng rénmen jiàndào yóurén shí, yǒu jǐ gè rén pāishǒu jiào dào, "Kàn, rén de zhǒngzi láile! Rén de zhǒngzi láile!" Yóurén méiyǒu bànfǎ wǎng qián zǒu, yīnwèi jiēdào shàng dōushì jiàohǎn de rén.

"Kuài," Sūn Wùkōng hǎndào, "Xiàzǒu tāmen!" Zhū fān le fān tāde ěrduǒ hé zuǐchún. Shā huī le huī tāde shǒubì.

第 54 章

走了有四十里左右的路后，游人们来到了一个城市。唐僧对徒弟们说，"记住，我们还在女人国。你们所有的人都必须像和尚那样做事，不要像荒野里的动物。尊敬别人，控制你们的欲望。"

他们进了城。很快，他们就到了一个集市[17]。他们看到几百名女人和女孩，她们在买卖许多不同的东西。那里有卖食物、药和衣服的商店。那里有酒店、茶店和小饭馆。很多人都在街道上。当人们见到游人时，有几个人拍手叫道，"看，人的种子[18]来了！人的种子来了！"游人没有办法往前走，因为街道上都是叫喊的人。

"快，"孙悟空喊道，"吓走她们！"猪翻了翻他的耳朵和嘴唇。沙挥了挥他的手臂。

---

[17] 集市　　jí shì – marketplace
[18] 种子　　zhǒngzǐ – seed

Sūn Wùkōng tiào shàng tiào xià. Nǚrénmen biàn dé
hàipà qǐlái. Tāmen cóng túdìmen shēnbiān tuìzǒu, dàn
tāmen jìxù kàn xiàng hǎokàn de Tángsēng. Màn màn de,
yóurénmen chuānguò jíshì, hòumiàn gēnzhe jǐ bǎi míng
nǚrén hé nǚhái.

Tāmen lái dào le jíshì jiéshù de dìfāng. Yígè nǚrén zhàn
zài lù zhōngjiān. Tā duì tāmen shuō, "Méiyǒu xǔkě,
yóurén bùnéng jìnrù zhè zuò chéngshì. Nǐmen bìxū qù
Nánrén Yìzhàn, děng zài nàlǐ. Wǒ huì gàosù nǚwáng
nǐmen de dàolái. Rúguǒ tā juédìng bāngzhù nǐmen, tā huì
qiānshǔ nǐmen de tōngguān wénshū, nǐmen jiù kěyǐ jìxù
nǐmen de lǚtú."

Nǚrén zhǐzhe fùjìn de yígè fángzi. Fángzi shàng yǒu yíkuài
páizi, shàngmiàn xiězhe "Nánrén Yìzhàn". Tāmen jìnqù
zuò xià. Púrén gěi tāmen ná le chá. Yígè xiǎoshí hòu,
guānyuán lái le, wèn, "Kèrén cóng nǎlǐ lái?"

孙悟空跳上跳下。女人们变得害怕起来。她们从徒弟们身边退走，但她们继续看向好看的唐僧。慢慢地，游人们穿过集市，后面跟着几百名女人和女孩。

他们来到了集市结束的地方。一个女人站在路中间。她对他们说，"没有许可[19]，游人不能进入这座城市。你们必须去男人驿站[20]，等在那里。我会告诉女王你们的到来。如果她决定帮助你们，她会签署你们的通关文书，你们就可以继续你们的旅途。"

女人指着附近的一个房子。房子上有一块牌子，上面写着"男人驿站"。他们进去坐下。仆人给他们拿了茶。一个小时后，官员[21]来了，问，"客人从哪里来？"

---

[19] 许可　　xǔkě – permission, license
[20] In ancient China, post houses were established along main roads for changing horses. They also served as hotels for officials and traveling businessmen.
[21] 官员　　guānyuán – official

Sūn Wùkōng gàosù tā, "Wǒmen shì cóng Táng guó lái de qióng héshang. Wǒmen yào qù xītiān zhǎo shèng shū. Wǒmen yǒu sì gè rén jiāshàng mǎ. Wǒmen qiú nǐ qiānshǔ wǒmen de tōngguān wénshū, ràng wǒmen jìxù wǒmen de lǚtú."

Guānyuán ràng púrén wèi yóurén zhǔnbèi shíwù. Ránhòu, tā hěn kuài de qù le gōngdiàn. Tā gàosù ménkǒu de shìwèi, tā xūyào mǎshàng jiàn nǚwáng. Jǐ fēnzhōng yǐhòu, tā zhàn zài le nǚwáng de miànqián.

"Wèishénme Nánrén Yìzhàn de guānyuán yào jiàn wǒ?" nǚwáng wèn.

Zhè wèi guānyuán gàosù nǚwáng guānyú Nánrén Yìzhàn lǐ yóurén de qíngkuàng. Nǚwáng xiàozhe shuō, "Zuótiān wǎnshàng wǒ zuò le yígè mèng. Měilì de sècǎi cóng jīnsè de píngfēng zhōng chuān chū, yì lǚ yángguāng cóng yù jìngzi zhōng shèchū. Xiànzài wǒ xiǎng shàngtiān gěi wǒmen sòng lái le yí fèn lǐwù. Zhège Tángsēng huì shì wǒ de zhàngfū. Wǒmen huì yǒu háizi, tāmen huì yǒu tāmen zìjǐ de háizi, wǒmen de guójiā huì jìxù jǐ qiān nián."

Guānyuán huídá shuō, "Bìxià, zhè shì yígè hǎo zhǔyì. Dàn wǒ

孙悟空告诉她，"我们是从唐国来的穷和尚。我们要去西天找圣书。我们有四个人加上马。我们求你签署我们的通关文书，让我们继续我们的旅途。"

官员让仆人为游人准备食物。然后，她很快地去了宫殿。她告诉门口的侍卫，她需要马上见女王。几分钟以后，她站在了女王的面前。

"为什么男人驿站的官员要见我？"女王问。

这位官员告诉女王关于男人驿站里游人的情况。女王笑着说，"昨天晚上我做了一个梦。美丽的色彩从金色的屏风[22]中穿出，一屡阳光从玉镜子中射出。现在我想上天给我们送来了一份礼物。这个唐僧会是我的丈夫。我们会有孩子，他们会有他们自己的孩子，我们的国家会继续几千年。"

官员回答说，"陛下，这是一个好主意。但我

---

[22] 屏风　　ppíngfēng – screen

jiànguò Tángsēng de túdì. Tāmen kàn qǐlái bú xiàng rén. Tāmen jiù xiàng huāngyě lǐ de dòngwù huò shén."

"Nà búshì wèntí," nǚwáng huídá. "Wǒmen huì qiānshǔ nà sān gè túdì de tōngguān wénshū. Wǒmen huì gěi tāmen shíwù hé qián, ràng tāmen wǎng xī zǒu. Tángsēng huì liú zài zhèlǐ zuò wǒ de zhàngfū."

Tángsēng hé sān gè túdì děng zài Nánrén Yìzhàn. Tāmen chī sùshí, hē chá. "Nǐmen juédé huì fāshēng shénme?" Tángsēng wèn.

"Ò, tāmen kěnéng shì yào nǐ hé nǚwáng jiéhūn," Sūn Wùkōng huídá.

"Rúguǒ tāmen nàyàng zuò, wǒmen yīnggāi zěnmebàn?"

"Shīfu, jiù dāyìng tāmen. Lǎo hóuzi huì jiějué zhè shì de."

Jiù zài zhè shí, guānyuán huí dào le Nánrén Yìzhàn. Tā xiàng Tángsēng dīdī de jūgōng. Tángsēng shuō, "Qīn'ài de fùrén, wǒ shì yígè líkāi jiā de qióng héshang. Wèishénme yào xiàng wǒ jūgōng?"

见过唐僧的徒弟。他们看起来不像人。他们就
像荒野里的动物或神。"

"那不是问题，"女王回答。"我们会签署那
三个徒弟的通关文书。我们会给他们食物和
钱，让他们往西走。唐僧会留在这里做我的丈
夫。"

唐僧和三个徒弟等在男人驿站。他们吃素食，
喝茶。"你们觉得会发生什么？"唐僧问。

"哦，她们可能是要你和女王结婚，"孙悟空
回答。

"如果她们那样做，我们应该怎么办？"

"师父，就答应她们。老猴子会解决这事
的。"

就在这时，官员回到了男人驿站。她向唐僧低
低地鞠躬。唐僧说，"亲爱的妇人，我是一个
离开家的穷和尚。为什么要向我鞠躬？"

Guānyuán shuō, "Shèng fù, wǒmen zhùfú nǐ wàn gè xìngfú."

"Wǒ zhǐshì yígè qióng héshang. Wǒ de xìngfú cóng nǎlǐ lái?"

"Shèng fù, zhèlǐ shì Nǚrén Guó. Wǒmen zhèlǐ yǐjīng hěnduō nián méiyǒu nánrén le. Wǒmen yùnqì hěn hǎo, yīnwèi nǐ lái le. Wǒ de nǚwáng juédìng yòng zhège wángguó suǒyǒu de jīn yín qǐngqiú nǐ hé nǚwáng jiéhūn. Nǐ huì zuò zài xiàng nán de róngyù zuò yǐ shàng, nǐ huì chéngwéi yígè hé zhòngrén bù yíyàng de rén. Nǚwáng hái huì shì zhè piàn tǔdì de tǒngzhì zhě, dànshì nǐ huì chéngwéi tā de zhàngfū. Wǒmen huì gěi nǐ de túdì qián hé shíwù, ràng tāmen kěyǐ jìxù qù xītiān. Tāmen huílái de shíhòu, wǒmen huì gěi tāmen gèng duō de qián hé shíwù, bāngzhù tāmen huí dào Táng guó."

Tángsēng méiyǒu shuōhuà. Guānyuán jìxù shuō, "Zhè duì nǐ lái shuō shì yígè hěn hǎo de jīhuì, shèng fù. Wǒ de nǚwáng xīwàng nǐ néng hěn kuài huídá."

官员说，"圣父，我们祝福你万个幸福。"

"我只是一个穷和尚。我的幸福从哪里来？"

"圣父，这里是<u>女人</u>国。我们这里已经很多年没有男人了。我们运气很好，因为你来了。我的女王决定用这个王国所有的金银请求你和女王结婚。你会坐在向南的荣誉座椅上，你会成为一个和众人不一样的人[23]。女王还会是这片土地的统治者[24]，但是你会成为她的丈夫。我们会给你的徒弟钱和食物，让他们可以继续去西天。他们回来的时候，我们会给他们更多的钱和食物，帮助他们回到<u>唐</u>国。"

<u>唐僧</u>没有说话。官员继续说，"这对你来说是一个很好的机会[25]，圣父。我的女王希望你能很快回答。"

---

[23] "The man set apart from others" (和众人不一样的人) refers to the king, who is believed to suffer from loneliness because of his great power.

[24] 统治者 tǒngzhì zhě – ruler

[25] 机会 jīhuì – opportunity

Tángsēng háishì méiyǒu shuōhuà, Zhū zǒu dào qiánmiàn shuō, "Nǐ bù zhīdào. Wǒ shīfu shì shèng sēng. Tā shí cì shēngmìng zhōng dōu zài xué fú. Tā duì cáifù, quánlì huò jiéhūn méiyǒu xìngqù. Nǐ yīnggāi qiānshǔ tā de tōngguān wénshū, ràng tā zǒu. Wǒ huì liú xiàlái zuò nǚwáng de zhàngfū."

Guānyuán kànzhe Zhū. Tā bì shàng yǎnjīng, guò le yīhuǐ'er yòu zhāng kāi yǎnjīng. "Xiānshēng, nǐ shì nán de, zhè shì zhēn de. Bùguò nǐ zhēn de tài chǒu le. Wǒmen de nǚwáng bù huì xiǎng yào hé nǐ jiéhūn de."

"Wǒ rènwéi nǐ tài kèbǎn le," Zhū shuō. "Wǒ huì shì yīgè hěn hǎo de zhàngfū."

"Ó, tíng." Sūn Wùkōng duì Zhū shuō. Tā duì nà guānyuán shuō, "Wǒmen huì ràng wǒmen de shīfu liú zài zhèlǐ, hé nǚwáng jiéhūn. Wǒmen sān rén huì jìxù qiánwǎng xītiān. Dāng wǒmen huílái shí, wǒmen huì lái jiàn nǚwáng hé tā de zhàngfū, yào qián héshí

唐僧还是没有说话，猪走到前面说，"你不知道。我师父是圣僧。他十次生命中都在学佛。他对财富、权力²⁶或结婚没有兴趣。你应该签署他的通关文书，让他走。我会留下来做女王的丈夫。"

官员看着猪。她闭上眼睛，过了一会儿又张开眼睛。"先生，你是男的，这是真的。不过你真的太丑了。我们的女王不会想要和你结婚的。"

"我认为你太刻板²⁷了，"猪说。"我会是一个很好的丈夫。"

"哦，停。"孙悟空对猪说。他对那官员说，"我们会让我们的师父留在这里，和女王结婚。我们三人会继续前往西天。当我们回来时，我们会来见女王和她的丈夫，要钱和食

---

²⁶ 权力   quánlì – power (to rule over others)
²⁷ 刻板   kèbǎn – rigid, inflexible

wù, wánchéng wǒmen huí jiā de lǚtú."

Guānyuán jūgōng, xiè le Sūn Wùkōng. Zhū shuō, "Jīntiān
wǎnshàng wǒmen xiǎng yào yígè dà yànhuì, yào hěnduō
shíwù hé hěnduō jiǔ!"

"Dāngrán," guānyuán huídá shuō, tā líkāi le Nánrén
Yìzhàn.

Tā gāng líkāi, Tángsēng jiù zhuāzhù Sūn Wùkōng, duì tā
jiàodào, "Nǐ zhège è hóu! Nǐ de piànshù yào shā sǐ wǒ! Nǐ
zěnme néng gàosù tāmen wǒ huì hé nǚwáng jiéhūn? Wǒ
bù gǎn zuò zhè zhǒng shì."

"Fàngxīn ba, shīfu," Sūn Wùkōng shuō, "Wǒ zhīdào nǐ de
gǎnjué. Dàn wǒmen bìxū yòng wǒmen de piànshù lái
miàn duì tāmen de piànshù."

"Nǐ zhè shì shénme yìsi?"

"Xiǎng yì xiǎng. Rúguǒ nǐ jùjué hé nǚwáng jiéhūn, huì
fāshēng shénme? Nǐ rènwéi tāmen huì qiānshǔ wǒmen
de tōngguān wénshū, ràng wǒmen líkāi ma? Dāngrán
búshì. Tāmen huì shì zhe ràng nǐ bèipò hé tā jiéhūn. Nǐ
huì zài yícì shuō bù. Ránhòu jiù huì yǒu yì chǎng dà

物，完成我们回家的旅途。"

官员鞠躬，谢了<u>孙悟空</u>。<u>猪</u>说，"今天晚上我们想要一个大宴会，要很多食物和很多酒！"

"当然，"官员回答说，她离开了<u>男人驿站</u>。

她刚离开，<u>唐僧</u>就抓住<u>孙悟空</u>，对他叫道，"你这个恶猴！你的骗术要杀死我！你怎么能告诉她们我会和女王结婚？我不敢做这种事。"

"放心吧，师父，"<u>孙悟空</u>说，"我知道你的感觉。但我们必须用我们的骗术来面对她们的骗术。"

"你这是什么意思？"

"想一想。如果你拒绝和女王结婚，会发生什么？你认为她们会签署我们的通关文书，让我们离开吗？当然不是。她们会试着让你被迫和她结婚。你会再一次说不。然后就会有一场大

de zhàndòu. Wǒ zhǐnéng yòng wǒ de bàng. Nǐ zhīdào wǒ de bàng shì yòng lái dǎ móguǐ de, búshì yòng lái dǎ pǔtōng nǔrén de. Wǒ kěnéng huì shā sǐ jǐ bǎi gè rén. Nǐ zhēn de yào wǒ nàyàng zuò ma? Nǐ xiǎng yào zài nǐde shǒushàng yǒu zhème duō rén de xuè ma?"

Tángsēng diǎntóu. Tā shuō, "Wǒ míngbái le. Nǐ hěn cōngmíng. Dànshì wǒmen néng zuò shénme ne? Rúguǒ nǔwáng ràng wǒ qù tā de gōngdiàn, tā huì yào wǒ zuò zhàngfū yīnggāi zuò de shì. Wǒ zěnme néng tóngyì ne? Wǒ zěnme néng fàngqì wǒde yáng qì, líkāi fú dào ne?"

"Búyào duì tā shuō bù. Ràng tā yòng tāde mǎchē lái jiē nǐ, dài nǐ jìn gōngdiàn. Qǐng tā qiānshǔ tōngguān wénshū. Hé tā yìqǐ chī yí dùn hàochī de wǎnfàn, dàn búyào hé tā yìqǐ jìn shuìjiào fángjiān. Wǎnfàn hòu, gàosù tā nǐ xiǎng yòng mǎchē qù hé nǐde túdìmen shuō zàijiàn. Tā dāngrán huì gěi nǐ mǎchē. Zuò mǎchē chūchéng, hé wǒmen jiànmiàn. Ránhòu nǐ jiù kěyǐ qíshàng báimǎ, wǒmen líkāi zhè

的战斗。我只能用我的棒。你知道我的棒是用来打魔鬼的，不是用来打普通女人的。我可能会杀死几百个人。你真的要我那样做吗？你想要在你的手上有这么多人的血吗？"

唐僧点头。他说，"我明白了。你很聪明。但是我们能做什么呢？如果女王让我去她的宫殿，她会要我做丈夫应该做的事。我怎么能同意呢？我怎么能放弃我的阳气[28]，离开佛道呢？"

"不要对她说不。让她用她的马车来接你，带你进宫殿。请她签署通关文书。和她一起吃一顿好吃的晚饭，但不要和她一起进睡觉房间。晚饭后，告诉她你想用马车去和你的徒弟们说再见。她当然会给你马车。坐马车出城，和我们见面。然后你就可以骑上白马，我们离开这

---

[28] Daoists believe that a man's male energy (阳, yang) is transferred to his partner during sex in exchange for the woman's female energy (阴, yin).

61

ge dìfāng."

"Tāmen búhuì gēnzhe wǒmen ma?"

"Lǎo hóuzi huì jiějué de. Wǒ huì yòng wǒ de mófǎ ràng
tāmen zhěng tiān dōu bùnéng dòng. Zhè huì ràng
wǒmen yǒu shíjiān táozǒu. Yìtiān yíyè yǐhòu, tāmen
cáinéng zài dòng, dànshì wǒmen líkāi le. Méiyǒu rén huì
shòudào shānghài."

Tángsēng yǒu yì zhǒng cóng kěpà de mèng zhōng xǐng lái
de gǎnjué. Tā gǎnxiè Sūn Wùkōng de zhìhuì.

Jiù zài zhè shíhòu, nà wèi guānyuán pǎo jìn gōng lǐ, duì
nǚwáng shuō, "Bìxià, nín de mèng hěn kuài jiù huì shì
zhēn de le. Nín hěn kuài jiù huì yǒu jiéhūn de xìngfú! Wǒ
hé yóurénmen tánguò, gàosù tāmen nín yào hé
Tángsēng jiéhūn. Héshang yǒudiǎn yóuyù, dànshì tā de
dà túdì háishì tóngyì le. Tā zhǐ yāoqiú nín qiānshǔ tāmen
de tōngguān wénshū, zhèyàng tāmen jiù kěyǐ jìxù tāmen
de lǚtú."

"Tángsēng yǒu méiyǒu shuōhuà?"

个地方。"

"她们不会跟着我们吗？"

"老猴子会解决的。我会用我的魔法让她们整天都不能动。这会让我们有时间逃走。一天一夜以后，她们才能再动，但是我们离开了。没有人会受到伤害。"

唐僧有一种从可怕的梦中醒来的感觉。他感谢孙悟空的智慧。

就在这时候，那位官员跑进宫里，对女王说，"陛下，您的梦很快就会是真的了。您很快就会有结婚的幸福！我和游人们谈过，告诉他们您要和唐僧结婚。和尚有点犹豫[29]，但是他的大徒弟还是同意了。他只要求您签署他们的通关文书，这样他们就可以继续他们的旅途。"

"唐僧有没有说话？"

---

[29] 犹豫　　yóuyù – hesitate

63

"Méiyǒu. Wǒ xiǎng tā bù zhīdào zìjǐ yào búyào jiéhūn. Yìzhí shì dà túdì zài shuōhuà. Ò, èr túdì xiǎng yào yígè yǒu hěnduō jiǔ de yànhuì."

Nǚwáng gàosù tāde púrén wèi yóurénmen zhǔnbèi yígè dà yànhuì. Ránhòu tā ràng púrén bǎ tāde mǎchē hé mǎ dài lái. Tā zuòzhe mǎchē chū le gōngdiàn de dàmén, qù le Nánrén Yìzhàn. Yìbǎi duō míng gōngdiàn lǐ de guānyuán gēnzhe mǎchē. Tángsēng hé sān gè túdì zǒuchū Nánrén Yìzhàn, lái jiàn tā. Tā kàn le tāmen měi gè rén. "Nǐmen shuí shì yào hé wǒ jiéhūn de nánrén?" Nà wèi guānyuán zhǐ le zhǐ Tángsēng.

Tā duì zhè wèi hǎokàn de héshang mǎn shì yùwàng. Tā duì tā xiào le xiào, shuō, "Yù dì gēge, nǐ bù hé wǒ yìqǐ qí fènghuáng ma?" Tángsēng de liǎn biàn hóng le.

Sūn Wùkōng xiàozhe shuō, "Shīfu fàngxīn, wǒ kàn tā zhǐshì xiǎng ràng nǐ gēn tā yìqǐ zuò mǎchē." Tángsēng diǎn le diǎn tóu, fàngsōng le yìdiǎn. Zhū kànzhe měilì de nǚwáng, kǒushuǐ cóng tāde zuǐ lǐ liú

"没有。我想他不知道自己要不要结婚。一直是大徒弟在说话。哦，二徒弟想要一个有很多酒的宴会。"

女王告诉她的仆人为游人们准备一个大宴会。然后她让仆人把她的马车和马带来。她坐着马车出了宫殿的大门，去了<u>男人驿站</u>。一百多名宫殿里的官员跟着马车。<u>唐僧</u>和三个徒弟走出<u>男人驿站</u>，来见她。她看了他们每个人。"你们谁是要和我结婚的男人？"那位官员指了指<u>唐僧</u>。

她对这位好看的和尚满是欲望。她对他笑了笑，说，"御[30]弟哥哥，你不和我一起骑凤凰[31]吗？"<u>唐僧</u>的脸变红了。

<u>孙悟空</u>笑着说，"师父放心，我看她只是想让你跟她一起坐马车。"<u>唐僧</u>点了点头，放松了一点。<u>猪</u>看着美丽的女王，口水从他的嘴里流

---

[30] 御　　　yù – royal
[31] 凤凰　　fènghuáng – phoenix

le chūlái.

Nǔwáng cóng mǎchē shàng xiàlái. Tā zǒu dào Tángsēng shēnbiān, zài tā ěr biān qīngshēng shuō, "Qīn'ài de gēge, xiànzài, gēn wǒ lái. Zuò shàng fènghuáng mǎchē, hé wǒ yìqǐ zuòchē qiánwǎng gōngdiàn. Wǒmen huì chéngwéi zhàngfū hé qīzi."

Tángsēng méiyǒu dòng. Sūn Wùkōng qīng qīng de tuī le tā yíxià. Tā zài Tángsēng de lìng yì zhī ěr biān xiǎoshēng shuō, "Shīfu, qù ba. Bié dānxīn." Tángsēng duì nǔwáng xiào xiào, zuò shàng le fènghuáng mǎchē. Mǎchē zhuǎn le fāngxiàng, huí dào gōngdiàn zhōng, guānyuánmen gēn zài hòumiàn. Zhū zhuīzhe mǎchē, hǎn dào, "Děng děng! Wǒmen yào hē jiéhūn de jiǔ!"

Nǔwáng āijìn Tángsēng. Tā zài tā ěr biān qīngshēng shuō, "Gēn zài wǒmen hòumiàn de nàge chǒu zhū rén shì shuí?"

"Nà shì wǒ de èr túdì Zhū Wùnéng. Tā zǒngshì yòu è yòu kě. Jiù gěi tā yìxiē shíwù hé jiǔ ba, ránhòu wǒmen jiù kěyǐ jìxù

了出来。

女王从马车上下来。她走到唐僧身边，在他耳边轻声说，"亲爱的哥哥，现在，跟我来。坐上凤凰马车，和我一起坐车前往宫殿。我们会成为丈夫和妻子。"

唐僧没有动。孙悟空轻轻地推了他一下。他在唐僧的另一只耳边小声说，"师父，去吧。别担心。"唐僧对女王笑笑，坐上了凤凰马车。马车转了方向，回到宫殿中，官员们跟在后面。猪追着马车，喊道，"等等！我们要喝结婚的酒！"

女王挨[32]近唐僧。她在他耳边轻声说，"跟在我们后面的那个丑猪人是谁？"

"那是我的二徒弟猪悟能。他总是又饿又渴。就给他一些食物和酒吧，然后我们就可以继续

---

[32] 挨　　　āi – to lean

zuò wǒmen de shì le."

"Qīn'ài de," tā xiàozhe duì tā shuō, "nǐ chī ròu háishì chī sùshí?"

"Zhège kělián héshang shì chī sùshí de, dàn wǒ de túdìmen zhēn de xǐhuān jiǔ. Wǒ de èr túdì fēicháng xǐhuān jiǔ."

Tāmen lái dào le gōngdiàn. Bái niǎo zài tāmen tóudǐng de tiānkōng zhōng fēi. Tāmen tīngdào tǎ nàlǐ chuán lái de yīnyuè. Jǐ shí míng púrén zài tāmen mǎchē jīngguò de lùshàng děngzhe kànzhe tāmen.

Tāmen jìn le gōngdiàn de dàdiàn. Yǒu kèrén de zhuōzi. Nǚwáng hé Tángsēng zuò zài zhǔrén de zhuōzi biān, nǚwáng zài yòubiān, Tángsēng zài zuǒbiān. Sān gè túdì zuò zài tāmen de liǎngbiān. Qítā guānyuán hé kèrén zuò zài qítā de zhuōzi biān. Nǚwáng jǔ qǐ jiǔbēi, xiàng suǒyǒu de kèrén jìngjiǔ. Tā kànzhe Tángsēng. Tángsēng bù zhīdào yīnggāi zuò shénme. Sūn Wùkōng āi jìn tā, zài tā de ěr biān qīngshēng shuō, "Shīfu, zhè shì nǐ jìngjiǔ de shíhòu le!" Ránhòu

做我们的事了。”

“亲爱的，”她笑着对他说，“你吃肉还是吃素食？”

“这个可怜和尚是吃素食的，但我的徒弟们真的喜欢酒。我的二徒弟非常喜欢酒。”

他们来到了宫殿。白鸟在他们头顶的天空中飞。他们听到塔那里传来的音乐。几十名仆人在他们马车经过的路上等着看着他们。

他们进了宫殿的大殿。有客人的桌子。女王和唐僧坐在主人[33]的桌子边，女王在右边，唐僧在左边。三个徒弟坐在他们的两边。其他官员和客人坐在其他的桌子边。女王举起酒杯，向所有的客人敬酒[34]。她看着唐僧。唐僧不知道应该做什么。孙悟空挨进他，在他的耳边轻声说，“师父，这是你敬酒的时候了！”然后

---

[33] 主人　　zhǔrén – owner
[34] 敬酒　　jìngjiǔ – to toast

Tángsēng xiàng nǚwáng hé suǒyǒu de kèrén jìngjiǔ.

Yīnyuè tíngzhǐ le, kèrénmen kāishǐ chīhē. Zhuōzi shàng
fàngzhe xǔduō bùtóng de hàochī de shíwù. Zhū bǎ xǔduō
shíwù dào jìn tā de zuǐ lǐ, ránhòu hē le qī, bā bēi hóngjiǔ.
"Ná gèng duō de jiǔ lái!" Tā hǎn dào. Pú rénmen wèi tā
ná lái le gèng duō de jiǔ.

Děng kèrén chī wán hē wán, Tángsēng zhàn qǐlái. Tā
shuō, "Bìxià, gǎnxiè nín gěi le zhème měihǎo de yànhuì.
Wǒmen yǒu zúgòu de shíwù hé jiǔ. Xiànzài, qǐng qiānshǔ
wǒmen de tōngguān wénshū, zhèyàng wǒ jiù kěyǐ hé wǒ
de túdìmen shuō zàijiàn, sòng tāmen zǒu shàng tāmen
de lǚtú."

"Hěn hǎo," nǚwáng shuō.

Tōngguān wénshū bāo zài bù lǐ. Shā bǎ tā dǎkāi, bǎ tā gěi
le Sūn Wùkōng, Sūn Wùkōng zhuǎnshēn yòng liǎng zhī
shǒu názhe gěi nǚwáng. Nǚwáng kàn le tōngguān
wénshū. Tā kàndào le Táng dìguó de yìnzhāng, háiyǒu
Bǎoxiàng Wángguó, Hēi Gōngjī Wángguó, Chēchí
Wángguó de yìnzhāng. Tā

唐僧向女王和所有的客人敬酒。

音乐停止了，客人们开始吃喝。桌子上放着许多不同的好吃的食物。猪把许多食物倒进他的嘴里，然后喝了七、八杯红酒。"拿更多的酒来！"他喊道。仆人们为他拿来了更多的酒。

等客人吃完喝完，唐僧站起来。他说，"陛下，感谢您给了这么美好的宴会。我们有足够的食物和酒。现在，请签署我们的通关文书，这样我就可以和我的徒弟们说再见，送他们走上他们的旅途。"

"很好，"女王说。

通关文书包[35]在布里。沙把它打开，把它给了孙悟空，孙悟空转身用两只手拿着给女王。女王看了通关文书。她看到了唐帝国的印章[36]，还有宝像王国、黑公鸡王国、车迟王国的印章[37]。她

---

[35] 包　　　bāo – to wrap, bag
[36] 印章　　yìnzhāng – seal
[37] These are from travels described in "The Monster's Secret", "The Ghost King" and "The Daoist Immortals."

kànzhe Tángsēng wèn, "Qīn'ài de, wèishénme wǒ zài zhè fèn tōngguān wénshū shàng méiyǒu kàndào nǐ sān gè túdì de míngzì?"

"Wǒ nà sān gè zhǎo máfan de túdì dōu búshì cóng Táng dìguó lái de," tā huídá. "Wǒde dì yīgè túdì láizì Áolái Guó de Huāguǒ Shān. Wǒde dì èr gè túdì láizì Fúlíng Shān de yí gè cūnzhuāng. Wǒ de dì sān gè túdì láizì Liúshā Hé."

"Nà tāmen wèishénme yào gēnzhe nǐ?"

"Sān rén dōu fàn le tiān fǎ. Guānyīn púsà jiù le tāmen. Xiànzài zhè sān gè rén dōu zài fó de dào shàng. Tāmen hé wǒ yìqǐ xīyóu, zài wǒ xiàng xī de lǚtú zhōng bǎohù wǒ. Xǔduō nián qián wǒ líkāi Táng dìguó de shíhòu, tāmen búzài wǒ shēnbiān. Zhè jiùshì wèishénme tāmen de míngzì méiyǒu zài tōngguān wénshū shàng."

"Wǒ kěyǐ bǎ tāmen de míngzì jiā dào tōngguān wénshū shàng ma?"

"Wǒ de nǚwáng kěyǐ zuò rènhé tā xiǎng zuò de shì."

Nǚwáng yào le mò hé máobǐ. Tā yòng máobǐ zài tōngguān wénshū de xiàmiàn xiě xià le Sūn Wùkōng, Zhū bājiè, Shā Wùjìng de míngzì. Tā zài tōngguān wénshū shàng gài le tā de yìnzhāng, ránhòu zài yìnzhāng xià qiān

看着唐僧问，"亲爱的，为什么我在这份通关文书上没有看到你三个徒弟的名字？"

"我那三个找麻烦的徒弟都不是从唐帝国来的，"他回答。"我的第一个徒弟来自敖莱国的花果山。我的第二个徒弟来自福陵山的一个村庄。我的第三个徒弟来自流沙河。"

"那他们为什么要跟着你？"

"三人都犯了天法。观音菩萨救了他们。现在这三个人都在佛的道上。他们和我一起西游，在我向西的旅途中保护我。许多年前我离开唐帝国的时候，他们不在我身边。这就是为什么他们的名字没有在通关文书上。"

"我可以把他们的名字加到通关文书上吗？"

"我的女王可以做任何她想做的事。"

女王要了墨和毛笔。她用毛笔在通关文书的下面写下了孙悟空、猪八戒、沙悟净的名字。她在通关文书上盖了她的印章，然后在印章下签

le tā de míngzì. Tā bǎ tōngguān wénshū gěi le Sūn Wùkōng. Tā bǎ tā gěi le Shā. Shā zài yòng bù bǎ tā bāo qǐlái, fàng jìn zìjǐ de chángyī lǐ.

Nǚwáng gěi Sūn Wùkōng yíkuài jīnqián, shuō, "Zhèlǐ yǒu yìxiē qián, kěyǐ bāngzhù nǐmen xīxíng. Dāng nǐmen huílái shí, wǒ huì gěi nǐmen gèng duō de qián hé lǐwù."

Sūn Wùkōng huídá shuō, "Bìxià, wǒmen zhèxiē líkāi jiā de rén, bùnéng ná zhèxiē lǐwù. Dāng wǒmen zài lǚtú shàng, wǒmen zhǎo yàofàn de dìfāng. Zhè jiùshì wǒmen xūyào de."

Nǚwáng ràng tā de yígè púrén bǎ yí dà kǔn sīchóu gěi Sūn Wùkōng. Tā shuō, "Nà nǐmen názhe zhège gěi zìjǐ zuò yīfú ba."

Sūn Wùkōng shuō, "Bìxià, líkāi jiā de wǒmen, bùnéng chuān sī yī. Wǒmen zhǐ chuān bù yī."

Nǚwáng shuō, "Hěn hǎo. Dài sān jīn fàn, zhèyàng nǐmen jiù yǒu dōngxi chī le."

Sūn Wùkōng hái méi shuōhuà, Zhū jiù dà hǎn, "Xièxie nǐ, bì

了她的名字。她把通关文书给了孙悟空。他把它给了沙。沙再用布把它包起来，放进自己的长衣里。

女王给孙悟空一块金钱，说，"这里有一些钱，可以帮助你们西行。当你们回来时，我会给你们更多的钱和礼物。"

孙悟空回答说，"陛下，我们这些离开家的人，不能拿这些礼物。当我们在旅途上，我们找要饭的地方。这就是我们需要的。"

女王让她的一个仆人把一大捆丝绸给孙悟空。她说，"那你们拿着这个给自己做衣服吧。"

孙悟空说，"陛下，离开家的我们，不能穿丝衣。我们只穿布衣。"

女王说，"很好。带三斤饭，这样你们就有东西吃了。"

孙悟空还没说话，猪就大喊，"谢谢你，陛

xià!" Ná le mǐfàn.

Tángsēng zhàn le qǐlái. Tā duì nǚwáng shuō, "Bìxià, qǐng hé wǒ zuò fènghuáng mǎchē qiánwǎng chéng xīmén. Wǒ xiǎng hé wǒ de sān gè túdì shuō zàijiàn, gěi tāmen yìxiē zuìhòu de zhǐshì. Ránhòu wǒ huì huílái, wǒmen huì xiàng zhàngfu hé qīzi yíyàng zài wǒmen shèngxià de rìzi lǐ xìngfú de shēnghuó."

Tāmen yìqǐ zuòchē dào xīmén, suǒyǒu gōngdiàn lǐ de guānyuán hé jǐ bǎi míng láizì chéng lǐ de nǚrén hé nǚhái dōu gēn zài tāmen de hòumiàn. Dāng tāmen lái dào xīmén shí, sān gè túdì yìqǐ shuō, "Bìxià búyòng zài wǎng qián zǒu le. Wǒmen xiànzài jiù líkāi.

Ránhòu Tángsēng cóng mǎchē shàng zǒu xiàlái, shuō, "Zàijiàn le, wǒ de nǚwáng. Wǒ xiànzài bìxū líkāi."

Nǚwáng de liǎn yīnwèi hàipà biàn dé fēicháng de bái. Tā zhuā zhù Tángsēng de cháng yī, kūzhe shuō, "Qīn'ài de, nǐ yào qù nǎlǐ? Jīntiān wǎnshàng wǒmen jiù chéngwéi zhàngfu hé qīzi. Míngtiān nǐ jiù huì zuò zài wǒ de wángguó de bǎozuò shàng. Nǐ shuō le nǐ tóngyì de. Nǐ dōu

下！"拿了米饭。

唐僧站了起来。他对女王说，"陛下，请和我坐凤凰马车前往城西门。我想和我的三个徒弟说再见，给他们一些最后的指示。然后我会回来，我们会像丈夫和妻子一样在我们剩下的日子里幸福地生活。"

他们一起坐车到西门，所有宫殿里的官员和几百名来自城里的女人和女孩都跟在他们的后面。当他们来到西门时，三个徒弟一起说，"陛下不用再往前走了。我们现在就离开。"

然后唐僧从马车上走下来，说，"再见了，我的女王。我现在必须离开。"

女王的脸因为害怕变得非常的白。她抓住唐僧的长衣，哭着说，"亲爱的，你要去哪里？今天晚上我们就成为丈夫和妻子。明天你就会坐在我的王国的宝座上。你说了你同意的。你都

chī le hūnlǐ dà yàn. Wèishénme xiànzài gǎibiàn zhǔyì le?"

Tángsēng hái méi shuōhuà, Zhū jiù chōng dào le mǎchē qián. Tā duì nǚwáng shuō, "Yígè héshang zěnme huì hé nǐ zhèyàng de kūlóu jiéhūn ne? Ràng wǒ de shīfu jìxù tā de lǚtú!" Zhè xià huài le nǚwáng. Tā dào zài le mǎchē lǐ. Shā zhuā zhù Tángsēng, bāng tā shàng le báimǎ. Tāmen zhuǎnshēn jiù zǒu, Shā huīzhe tā de guǎizhàng, zhè ràng rénmen dōu xiàng hòu tuì.

Sūn Wùkōng yǐjīng zhǔnbèi hǎo yòng tā de mófǎ ràng rénmen bùnéng dòng. Kěshì jiù zài zhè shí, yígè nǚhái cóng rénqún zhōng pǎo le chūlái. Tā hǎn dào, "Táng yùdì gēge, nǐ yào qù nǎlǐ? Wǒ xiǎng hé nǐ zuò ài!" Shā xiǎng yào yòng tā de guǎizhàng dǎ nǚhái, dàn tā zhǐshì dǎ zài kōngqì zhòng. Nǚhái jiào lái le dàfēng. Ránhòu tā zhuā zhù Tángsēng, liǎng rén shàng dào kōngzhōng, xiāoshī bújiàn le.

吃了婚礼[38]大宴。为什么现在改变主意了？"

唐僧还没说话，猪就冲到了马车前。他对女王说，"一个和尚怎么会和你这样的骷髅结婚呢？让我的师父继续他的旅途！"这吓坏了女王。她倒在了马车里。沙抓住唐僧，帮他上了白马。他们转身就走，沙挥着他的拐杖，这让人们都向后退。

孙悟空已经准备好用他的魔法让人们不能动。可是就在这时，一个女孩从人群中跑了出来。她喊道，"唐御弟哥哥，你要去哪里？我想和你做爱！"沙想要用他的拐杖打女孩，但他只是打在空气中。女孩叫来了大风。然后她抓住唐僧，两人上到空中，消失不见了。

---

[38] 婚礼　　　hūnlǐ – wedding

Dì 55 Zhāng

Sūn Wùkōng tīngdào le dàfēng de shēngyīn. Tā zhuǎnshēn duì Shā hǎn dào, "Shīfu ne?"

Shā huídá shuō, "Yígè nǚhái cóng rénqún zhòng chūlái. Tā zhuā zhù le shīfu. Liǎng rén zài dàfēng zhōng fēi zǒu le."

Sūn Wùkōng yòng jīndǒu yún lái dào kōngzhōng. Tā yòng shǒu fàng zài tā de zuànshí yíyàng de yǎnjīng shàng, kàn xiàng suǒyǒu sì gè fāngxiàng. Zài xīběi fāngxiàng hěn yuǎn de dìfāng, tā kàndào le yígè hěn dà de hēi léi yún. "Xiōngdìmen," tā hǎn dào, "gēn wǒ yìqǐ fēi. Wǒmen yídìng yào jiù shīfu!" Sān gè rén xiàngzhe xīběi fāngxiàng fēi qù.

Zài dìshàng, Xī Liáng de nǚrén hé nǚháimen dōu kàndào le zhè. Tāmen dǎo zài dìshàng, kū hǎnzhe, "Wǒmen bù zhīdào zhèxiē rén shì kěyǐ fēi shàng tiāngōng de shèngrén!"

Yì míng guānyuán duì nǚwáng shuō, "Bìxià, búyào hàipà. Zhè búshì yí wèi pǔtōng de zhōngguó héshang. Tā shì yí wèi wěidà de shèng

第 55 章

孙悟空听到了大风的声音。他转身对沙喊道，"师父呢？"

沙回答说，"一个女孩从人群中出来。她抓住了师父。两人在大风中飞走了。"

孙悟空用筋斗云来到空中。他用手放在他的钻石一样的眼睛上，看向所有四个方向。在西北方向很远的地方，他看到了一个很大的黑雷云。"兄弟们，"他喊道，"跟我一起飞。我们一定要救师父！"三个人向着西北方向飞去。

在地上，西梁的女人和女孩们都看到了这。她们倒在地上，哭喊着，"我们不知道这些人是可以飞上天宫的圣人！"

一名官员对女王说，"陛下，不要害怕。这不是一位普通的中国和尚。他是一位伟大的圣

rén. Wǒmen shuí yě kàn búdào zhè yìdiǎn. Qǐng zuò shàng nín de mǎchē, wǒmen sòng nín huí gōngdiàn."

Wǒmen xiànzài bù shuō nǚwáng, wǒmen lái gàosù nǐ sān gè túdì de shìqing. Jǐn gēnzhe hēisè de léi yún, tāmen hěn kuài xiàng xīběi fēi qù. Hěn kuài, tāmen lái dào le yízuò gāoshān. Tāmen xiàng xià lí dìmiàn gèng jìn le xiē. Zǐxì kàn, tāmen kàndào yíkuài lǜsè de dà píng shí, xiàng píngfēng yíyàng zhànlìzhe. Tāmen xiàng shítou hòumiàn kàn qù, kàndào le liǎng shàn shímén. Zhū xiǎng zá huài mén, Sūn Wùkōng zǔzhǐ le tā, shuō, "Dìdi búyào nàme bèn. Wǒmen bù zhīdào shīfu shì búshì zài zhè shàn mén hòumiàn. Rúguǒ zhège dòng shì biérén de ne? Wǒmen bùxiǎng méiyǒu yuányīn de ràng biérén shēngqì."

Sūn Wùkōng shuō le yíjù mó yǔ, yáo le yíxià tā zìjǐ. Tā biàn chéng le yì zhī xiǎo mìfēng. Tā fēiguò shímén shàng de yígè xiǎo liè fèng. Kàn le shāndòng de sìzhōu, tā kàn dào le yì zhāng shūfú de yǐzi, yǐzi de sìzhōu shì bùtóng yánsè de huā. Yǐzi shàng zuòzhe yí gè měilì de nǚ móguǐ. Pángbiān shì jǐ gè chuānzhe sīchóu cháng yī

人。我们谁也看不到这一点。请坐上您的马车，我们送您回宫殿。"

我们现在不说女王，我们来告诉你三个徒弟的事情。紧跟着黑色的雷云，他们很快向西北飞去。很快，他们来到了一座高山。他们向下离地面更近了些。仔细看，他们看到一块绿色的大平石，像屏风一样站立着。他们向石头后面看去，看到了两扇石门。猪想砸坏门，孙悟空阻止了他，说，"弟弟不要那么笨。我们不知道师父是不是在这扇门后面。如果这个洞是别人的呢？我们不想没有原因的让别人生气。"

孙悟空说了一句魔语，摇了一下他自己。他变成了一只小蜜蜂[39]。他飞过石门上的一个小裂缝。看了山洞的四周，他看到了一张舒服的椅子，椅子的四周是不同颜色的花。椅子上坐着一个美丽的女魔鬼。旁边是几个穿着丝绸长衣

---

[39] 蜜蜂　　mìfēng – bee

de nǚhái. Tāmen dōu zài shuōzhe shénme.

Yòu yǒu liǎng gè niánqīng nǚhái názhe liǎng pán rè bāozi zǒu jìn móguǐ. "Fūrén," tāmen shuō, "zhè shì nǐ yào de bāozi. Yì pán shì rénròu bāozi. Lìng yì pán shì hóng dòushā bāozi."

"Háizimen," móguǐ shuō, "bǎ Tángsēng dài chūlái." Liǎng gè nǚhái zǒu jìn le dòng de hòumiàn. Hěn kuài, tāmen dàizhe Tángsēng huílái le. Tā de liǎn hěn huáng, zuǐchún hěn bái, yǎn lǐ dōu shì lèi.

Piàoliang de móguǐ duì Tángsēng shuō, "Fàngxīn ba, yùdì gēge! Wǒmen de jiā méiyǒu nǚwáng de gōngdiàn nàme dà, dàn nǐ huì fāxiàn tā hěn shūfú. Zhèlǐ ānjìng pínghé. Zài nǐ shèngxià de rìzi lǐ, nǐ dōu huì zài zhèlǐ, niàn fó jīng, dú nǐde shèng shū. Nǐ huì shì wǒ de bànlǚ."

Tángsēng xià dé shuōbùchū huà. Móguǐ duì tā xiào le xiào, jìxù shuō, "Wǒ zhīdào nǐ zài yànhuì shàng chī dé bù duō. Nǐ yídìng è

的女孩。他们都在说着什么。

又有两个年轻女孩拿着两盘热包子走近魔鬼。
"夫人⁴⁰，"她们说，"这是你要的包子。一盘
是人肉包子。另一盘是红豆沙⁴¹包子。"

"孩子们，"魔鬼说，"把<u>唐僧</u>带出来。"两
个女孩走进了洞的后面。很快，她们带着<u>唐僧</u>
回来了。他的脸很黄，嘴唇很白，眼里都是
泪。

漂亮的魔鬼对<u>唐僧</u>说，"放心吧，御弟哥哥！
我们的家没有女王的宫殿那么大，但你会发现
它很舒服。这里安静平和。在你剩下的日子
里，你都会在这里，念佛经，读你的圣书。你
会是我的伴侣⁴²。"

<u>唐僧</u>吓得说不出话。魔鬼对他笑了笑，继续
说，"我知道你在宴会上吃得不多。你一定饿

---

⁴⁰ 夫人　　fūrén – lady, madam
⁴¹ 豆沙　　dòushā –bean paste
⁴² 伴侣　　bànlǚ – companion

le. Qǐng shì shì wǒmen hàochī de bāozi!"

Tángsēng xīn xiǎng, "Zhè móguǐ bú xiàng nǚwáng. Rúguǒ wǒ ràng tā shēngqì, tā kěnéng rènhé shíhòu dōuhuì shā le wǒ. Wǒ yídìng yào ràng tā kāixīn, děngzhe wǒde túdì lái jiù wǒ." Suǒyǐ tā duì móguǐ shuō, "Bāozi lǐ yǒu shénme?"

Móguǐ huídá shuō, "Yǒuxiē shì rénròu. Yǒuxiē shì hóng dòushā. Nǐ xiǎng chī nǎxiē?"

"Zhège kělián de héshang yìzhí chīsù."

"Hěn hǎo!" Móguǐ jiào tā de púrén gěi Tángsēng sòng chá. Ránhòu tā ná qǐ yígè hóng dòushā bāozi, fēnchéng liǎng kuài, gěi le Tángsēng. Tángsēng ná qǐ yígè ròu bāozi gěi le móguǐ, dàn tā méiyǒu bǎ tā fēnkāi.

Móguǐ xiào le. "Qīn'ài de, nǐ zěnme bù bǎ ròu bāozi fēnkāi?" Tā wèn.

"Zhège kělián de héshang yìzhí chīsù. Wǒ bù gǎn fēnkāi ròu bāo

了。请试试我们好吃的包子！"

唐僧心想，"这魔鬼不像女王。如果我让她生气，她可能任何时候都会杀了我。我一定要让她开心，等着我的徒弟来救我。"所以他对魔鬼说，"包子里有什么？"

魔鬼回答说，"有些是人肉。有些是红豆沙。你想吃哪些？"

"这个可怜的和尚一直吃素。"

"很好！"魔鬼叫她的仆人给唐僧送茶。然后她拿起一个红豆沙包子，分⁴³成两块，给了唐僧。唐僧拿起一个肉包子给了魔鬼，但他没有把它分开。

魔鬼笑了。"亲爱的，你怎么不把肉包子分开？"她问。

"这个可怜的和尚一直吃素。我不敢分开肉包

---

⁴³ 分　　 fēn – to divide

zi."

Sūn Wùkōng tīng le. Tā xiǎng, "Wǒ bù zhīdào tāmen wèishénme shuō le zhème duō guānyú bāozi de shì. Dànshì wǒ hěn dānxīn shīfu. Shì shíhòu jiéshù zhè yíqiè le." Tā yáo le yíxià tā de shēntǐ, biàn huí le tā zìjǐ de yàngzi. Tā hǎn dào, "Fàng kāi wǒ de shīfu, nǐ zhège èmó. Bié chī nǐ de bāozi le, shì shì wǒ de bàng ba!"

Hěn kuài, móguǐ chuīchū yìxiē wùqì, bǎ tā zìjǐ hé Tángsēng cáng qǐlái. Ránhòu tā jiào tā de púrén, bǎ Tángsēng dài dào shāndòng de hòumiàn. Tā zhuǎnxiàng Sūn Wùkōng shuō, "Wúfǎwútiān de hóuzi, nǐ lái wǒjiā zuò shénme? Búyào cóng wǒ zhèlǐ táozǒu. Shì shì zhège!" Tā yòng tāde sāngǔ chā zá xiàng Sūn Wùkōng, Sūn Wùkōng yòng tāde bàng dǎngzhù le tā.

Móguǐ hé hóu wáng dǎ le qǐlái, sāngǔ chā duìzhe bàng, màn màn de chū le shāndòng. Zhū hé Shā zài dòng wài děngzhe. Dāng liǎng gè zhàndòu de rén cóng shāndòng lǐ chūlái de shíhòu, Zhū duì Shā hǎn dào, "Kuài, bǎ mǎ hé xínglǐ cóng zhèlǐ dài kāi, kànzhe tāmen. Wǒ qù bāng lǎo hóuzi dǎ móguǐ." Ránhòu tā duì Sūn Wùkōng hǎn dào, "Gē

子。"

孙悟空听了。他想，"我不知道他们为什么说了这么多关于包子的事。但是我很担心师父。是时候结束这一切了。"他摇了一下他的身体，变回了他自己的样子。他喊道，"放开我的师父，你这个恶魔。别吃你的包子了，试试我的棒吧！"

很快，魔鬼吹出一些雾气，把她自己和唐僧藏起来。然后她叫她的仆人，把唐僧带到山洞的后面。她转向孙悟空说，"无法无天的猴子，你来我家做什么？不要从我这里逃走。试试这个！"她用她的三股叉砸向孙悟空，孙悟空用他的棒挡住了它。

魔鬼和猴王打了起来，三股叉对着棒，慢慢地出了山洞。猪和沙在洞外等着。当两个战斗的人从山洞里出来的时候，猪对沙喊道，"快，把马和行李从这里带开，看着它们。我去帮老猴子打魔鬼。"然后他对孙悟空喊道，"哥

ge, wǎng hòu zhàn, ràng wǒ lái hé zhège biǎozi dǎ!"

Móguǐ kàndào Zhū lái le. Huǒ cóng tā de bízi lǐ chūlái. Tā yáo le yíxià tāde shēntǐ, xiànzài tā búshì yòng yígè sāngǔ chā zhàndòu, tā yòng sān gè sāngǔ chā zhàndòu. Tā hǎn dào, "Sūn Wùkōng, wǒ rènshí nǐ, dàn nǐ bú rènshí wǒ. Dànshì wǒ gàosù nǐ, nǐ Léi Yīn Shān de fózǔ yě pà wǒ."

Móguǐ gōngjī le liǎng gè túdì. Kōngqì zhòng dōu shì sāngǔ chā, bàzi hé bàng xiāng zá de shēngyīn. Dāng tàiyáng cóng xībiān xiàqù, yuèliang cóng dōngbiān shànglái shí, tāmen sān rén hái zài zhàndòu. Liǎngbiān dōu méi néng yíng. Kěshì tūrán, nà móguǐ tiào shàng kōngzhōng, xiàng xià cì zài Sūn Wùkōng de tóu shàng. Sūn Wùkōng méiyǒu kàndào wǔqì. Tā tòng dé dà jiào, bàozhe tāde tóu jiù pǎo. Zhū gēn zài tā hòumiàn. Móguǐ ná qǐ tā de sāngǔ chā, huí dào le tāde dòng.

Sūn Wùkōng shuāngshǒu bào tóu, kū dào, "Ò tòng, tòng!"

"Zhè hěn qíguài," Shā shuō. "Nǐde tóu hěn yìng. Qítā yāoguài hé móguǐ dǎ nǐ de tóu, méiyǒu zàochéng rènhé de tòng. Zhè cì

哥，往后站，让我来和这个婊子[44]打！"

魔鬼看到猪来了。火从她的鼻子里出来。她摇了一下她的身体，现在她不是用一个三股叉战斗，她用三个三股叉战斗。她喊道，"孙悟空，我认识你，但你不认识我。但是我告诉你，你雷音山的佛祖也怕我。"

魔鬼攻击了两个徒弟。空气中都是三股叉、耙子和棒相砸的声音。当太阳从西边下去，月亮从东边上来时，他们三人还在战斗。两边都没能赢。可是突然，那魔鬼跳上空中，向下刺在孙悟空的头上。孙悟空没有看到武器。他痛得大叫，抱着他的头就跑。猪跟在他后面。魔鬼拿起她的三股叉，回到了她的洞。

孙悟空双手抱头，哭道，"哦痛，痛！"

"这很奇怪，"沙说。"你的头很硬。其他妖怪和魔鬼打你的头，没有造成任何的痛。这次

---

[44] 婊子　　biǎo zi – bitch

zěnmele?"

"Wǒ bù zhīdào." Sūn Wùkōng huídá. "Zìcóng tōu le Tàishàng Lǎojūn de jīn dān yǐhòu, wǒ de tóu jiù xiàng zuànshí yíyàng qiáng. Wǔbǎi nián qián wǒ zài tiāngōng zhǎo máfan de shíhòu, Yùhuáng Dàdì ràng zhěnggè jūnduì lái dǎ wǒ, dàn tāmen dōu bùnéng shānghài wǒ. Ránhòu Tàishàng Lǎojūn bǎ wǒ fàng zài tāde huǒpén lǐ sìshíjiǔ tiān, nà yě bùnéng shānghài wǒ. Wǒ bù zhīdào zhège móguǐ duì wǒ yòng le shénme wǔqì!"

"Ràng wǒ kàn kàn nǐde tóu," Shā shuō. "Bǎ shǒu ná kāi." Tā zǐxì de kàn le, méiyǒu kàndào rènhé yū qīng.

"Zhège móguǐ rènshí wǒ." Sūn Wùkōng shuō. "Tā zhīdào wǒmen zài Nǚrén Guó fāshēng le shénme. Dàn wǒ bù zhīdào tā shì shuí." Tā yòng shǒu qīng qīng de pèng le tā de tóu. "Ēn, tài wǎn le, wǒ de tóu hěn tòng. Wǒ bú rènwéi shīfu huì mǎshàng yǒu wéixiǎn. Móguǐ bùxiǎng shā tā. Wǒ xiǎng tā xiǎng hé tā jiéhūn. Dànshì wǒ shīfu de xīn shì hěn qiángdà de. Wǒ rènwéi tā jīntiān wǎnshàng huì

怎么了？"

"我不知道。"<u>孙悟空</u>回答。"自从偷了<u>太上老君</u>的金丹以后，我的头就像钻石一样强。五百年前我在天宫找麻烦的时候，<u>玉皇大帝</u>让整个军队来打我，但他们都不能伤害我。然后<u>太上老君</u>把我放在他的火盆里四十九天，那也不能伤害我。我不知道这个魔鬼对我用了什么武器！"

"让我看看你的头，"<u>沙</u>说。"把手拿开。"他仔细地看了，没有看到任何淤青[45]。

"这个魔鬼认识我。"<u>孙悟空</u>说。"她知道我们在<u>女人</u>国发生了什么。但我不知道她是谁。"他用手轻轻地碰了他的头。"嗯，太晚了，我的头很痛。我不认为师父会马上有危险。魔鬼不想杀他。我想她想和他结婚。但是我师父的心是很强大的。我认为他今天晚上会

---

[45] 淤青　　yū qīng – bruise

fàngqì yùwàng. Wǒmen xiūxi ba."

Zài shāndòng lǐ, móguǐ fànghǎo le tā de wǔqì, duì tā de
púrén xiàozhe. "Háizimen," tā shuō, "guānshàng mén,
kànzhe tāmen. Wǒmen bù xīwàng nà zhī chǒu hóuzi zài
huílái." Tā zhǐzhe lìngwài liǎng gè púrén shuō, "Qù
shuìjiào de fángjiān, diǎnshàng làzhú. Wǒ yào hé Táng
yùdì gēge yìqǐ guò zhège yèwǎn."

Tángsēng bèi dài jìn le shuìjiào de fángjiān. Móguǐ duì tā
xiàozhe, qīng qīng wòzhù tāde shǒubì. Tā shuō, "Gǔrén
shuō, 'Jīn yǒu jiàqián, yǒu shuí zhīdào kuàilè de jiàqián?'
Ràng nǐ wǒ zuò zhàngfu hé qīzi. Wǒmen huì wán dé hěn
kāixīn!"

Tángsēng méi shuōhuà. Tā bùxiǎng duì tā shuō bù,
yīnwèi tā pà tā huì shā le tā. Suǒyǐ tā gēnzhe tā jìn le
shuìjiào de fángjiān. Tā de shēntǐ zài fādǒu, tā de yǎnjīng
bìzhe. Shī zhōng shuō,

> Tā de yǎnjīng shénme yě kàn bújiàn
> Tā de ěrduǒ shénme yě tīng búdào
> Duì tā láishuō, tā piàoliang de liǎn xiàng tiāntáng

放弃欲望。我们休息吧。"

在山洞里，魔鬼放好了她的武器，对她的仆人
笑着。"孩子们，"她说，"关上门，看着他
们。我们不希望那只丑猴子再回来。"她指着
另外两个仆人说，"去睡觉的房间，点上蜡
烛。我要和<u>唐御</u>弟哥哥一起过这个夜晚。"

<u>唐僧</u>被带进了睡觉的房间。魔鬼对他笑着，轻
轻握住他的手臂。她说，"古人说，'金有价
钱[46]，有谁知道快乐的价钱？'让你我做丈夫和
妻子。我们会玩得很开心！"

<u>唐僧</u>没说话。他不想对她说不，因为他怕她会
杀了他。所以他跟着她进了睡觉的房间。他的
身体在发抖，他的眼睛闭着。诗中说，

> 他的眼睛什么也看不见
> 他的耳朵什么也听不到
> 对她来说，他漂亮的脸像天堂

---

[46] 价钱　　jiàqián – price

Duì tā láishuō, tā měilì de liǎn xiàng tǔ

Tā tuōxià tāde yīfu, tā de jīqíng hěn qiáng

Tā bǎ tāde cháng yī bāo dé gèng jǐn, tā de xīnyì gèng

qiáng

Tā zhǐ xiǎng gōuyǐn tā

Tā zhǐ xiǎng qiú fó

Tā shuō, "Wǒ yào nǐ, wǒ de chuáng zhǔnbèi hǎo le."

Tā shuō, "Wǒ shì héshang, wǒ zěnme néng qù nàlǐ?"

Tā shuō, "Wǒ hé Xīshī yíyàng piàoliang."

Tā shuō, "Wǒ hé Yuè Wáng yíyàng zhèngzhí."

Tāmen tán le hé zhēnglùn le hěn cháng shíjiān, yìzhí dào shēnyè. Móguǐ zhōngyú kànchū Tángsēng méiyǒu xìngqù hé tā shuìjiào. Suǒyǐ tā yòng shéngzi bǎ tā bǎng qǐlái, tuō dào le shāndòng de hòumiàn. Ránhòu tā

对他来说，她美丽的脸像土

她脱下她的衣服，她的激情[47]很强

他把他的长衣包得更紧，他的心意[48]更强

她只想勾引[49]他

他只想求佛

她说，"我要你，我的床准备好了。"

他说，"我是和尚，我怎么能去那里？"

她说，"我和西施[50]一样漂亮。"

他说，"我和越王[51]一样正直[52]。"

他们谈了和争论了很长时间，一直到深夜。魔鬼终于看出唐僧没有兴趣和她睡觉。所以她用绳子把他绑起来，拖到了山洞的后面。然后她

---

[47] 激情　　jīqíng – passion

[48] 心意　　xīnyì – will

[49] 勾引　　gōuyǐn – to seduce

[50] Xishi, the Lady of the West, was one of the Four Great Beauties of ancient China. It's said that when she looked at fish in the pond, the fish would be so overcome by her beauty that they would forget how to swim and would sink to the bottom of the pond.

[51] King Goujian ruled the Kingdom of Yue from 596 to 45 BC. He had no interest in kingly riches. He ate peasant food and it is said that he slept at night on a bed of sticks.

[52] 正直　　zhèngzhí - upright

jiù miè le làzhú, zìjǐ qù shuìjiào le.

Dì èr tiān zǎoshàng, Sūn Wùkōng gǎnjué hǎoduō le. "Wǒ de tóu bú zài tòng le. Wǒ zhǐshì yǒudiǎn yǎng."

Zhū xiàozhe shuō, "Rúguǒ nǐ juédé yǎng le, nǐ yīnggāi jiào móguǐ zài yòng sāngǔ chā cì tā yíxià."

Sūn Wùkōng xiàng tā tǔ le kǒushuǐ. "Zǒu, zǒu, zǒu!"

"Hǎo ba. Dànshì zuótiān wǎnshàng, wǒ juédé wǒmen de shīfu yào fēng le, fēng le, fēngle!"

Sūn Wùkōng duì Shā shuō, "Xiǎo xiōngdì, liú zài zhèlǐ, kànzhe mǎ hé xínglǐ. Wǒ huì hé Zhū yìqǐ qù, jiějué zhège móguǐ."

Liǎng gè rén huí dào le shāndòng. "Děng zài zhèlǐ." Sūn Wùkōng shuō. "Wǒ jìnqù kàn kàn fāshēng le shénme. Rúguǒ zuótiān wǎnshàng shīfu zhēnde fàngqì le tāde yáng qì, wǒmen dōu kěyǐ zǒu le, bù lǐ tā. Dàn rúguǒ tā bǎochí qiángdà, nǐ hé wǒ bìxū hé móguǐ zhàndòu, jiù tā."

"Búyòng dānxīn," Zhū shuō. "Nǐ zhīdào gǔrén zěnme shuō,

就灭了蜡烛，自己去睡觉了。

第二天早上，<u>孙悟空</u>感觉好多了。"我的头不再痛了。我只是有点痒。"

<u>猪</u>笑着说，"如果你觉得痒了，你应该叫魔鬼再用三股叉刺它一下。"

<u>孙悟空</u>向他吐了口水。"走，走，走！"

"好吧。但是昨天晚上，我觉得我们的师父要疯了，疯了，疯了！"

<u>孙悟空</u>对<u>沙</u>说，"小兄弟，留在这里，看着马和行李。我会和<u>猪</u>一起去，解决这个魔鬼。"

两个人回到了山洞。"等在这里。"<u>孙悟空</u>说。"我进去看看发生了什么。如果昨天晚上师父真的放弃了他的阳气，我们都可以走了，不理他。但如果他保持强大，你和我必须和魔鬼战斗，救他。"

"不用担心，"<u>猪</u>说。"你知道古人怎么说，

'Nǐ kěyǐ gěi māo yígè yúròu zuò de zhěntou, dàn zhěntou zài wǎnshàng huì yǒu hěnduō zhuā hén.'"

"Bié húshuō le." Sūn Wùkōng huídá shuō. Tā yòu biàn chéng le yì zhī mìfēng, jìn le shāndòng. Tā kàndào móguǐ hái zài shuìjiào. "Ēn, tā hǎoxiàng hěn lèi," tā xiǎng. "Wǒ xiǎng zhīdào zuótiān wǎnshàng fāshēng le shénme." Tā fēi dào shāndòng gēngshēn de dìfāng, fāxiàn Tángsēng bèi kǔn dé xiàng Zhū yíyàng. "Shīfu!" tā shuō.

"Wùkōng!" Tángsēng kū le. "Jiù wǒ!"

"Zuótiān wǎnshàng guò dé zěnmeyàng?" Sūn Wùkōng wèn.

"Bié dānxīn, wǒ zuótiān wǎnshàng shénme dōu méi zuò. Móguǐ bǎ wǒ liú le bànyè. Dàn wǒ méiyǒu tuō yīfu, yě méiyǒu pèng tā huò chuáng. Zuìhòu tā yànjuàn le gōuyǐn wǒ, suǒyǐ tā jiù zhèyàng bǎ wǒ bǎng le qǐlái. Qǐng jiù wǒ, nàyàng wǒ jiù kěyǐ jìxù wǒmen de lǚtú."

'你可以给猫一个鱼肉做的枕头，但枕头在晚上会有很多抓痕[53]。'"

"别胡说[54]了。"孙悟空回答说。他又变成了一只蜜蜂，进了山洞。他看到魔鬼还在睡觉。"嗯，她好像很累，"他想。"我想知道昨天晚上发生了什么。"他飞到山洞更深的地方，发现唐僧被捆得像猪一样。"师父！"他说。

"悟空！"唐僧哭了。"救我！"

"昨天晚上过得怎么样？"孙悟空问。

"别担心，我昨天晚上什么都没做。魔鬼把我留了半夜。但我没有脱衣服，也没有碰她或床。最后她厌倦[55]了勾引我，所以她就这样把我绑了起来。请救我，那样我就可以继续我们的旅途。"

---

[53] 抓痕　　zhuā hén – scratch
[54] 胡说　　húshuō – to babble, nonsense
[55] 厌倦　　yànjuàn – to grow weary of

Tāmen shuōhuà de shēngyīn chǎoxǐng le móguǐ. Tā hěn shēngqì, dàn yě gǎndào duì Tángsēng yǒu yùwàng. Tā duì tā shuō, "Suǒyǐ nǐ zhēnde bùxiǎng hé wǒ jiéhūn? Nǐ jiù yuànyì zuò yígè héshang, měitiān wǎnshàng yígè rén shuì zài dìshàng?"

Sūn Wùkōng cóng shāndòng lǐ fēi le chūqù. Tā duì Zhū shuō, "Nǐ fàngxīn, wǒmen shīfu zuótiān wǎnshàng méiyǒu hé móguǐ shuìjiào. Tā shuō tā méiyǒu tuō le tā de yīfu, tā yě méiyǒu pèng tā. Tā zhǐ xiǎng zài fó de dào shàng."

"Nà hǎo ba," Zhū huídá. "Tā háishì ge héshang. Wǒmen qù jiù tā."

Hóuzi hé Zhū názhe tāmen de wǔqì pǎo jìn le shāndòng. Móguǐ jiàn le tāmen, tāmen zàicì kāishǐ zhàndòu. Huǒ hé yān cóng móguǐ de kǒu zhòng chūlái, tā yòng sāngǔ chā de jìshù fēicháng hǎo. Sūn Wùkōng hé Zhū bùnéng dǎbài tā. Ránhòu tā cì zài le Zhū de zuǐchún shàng. "Ò, téng, téng!" Tā kū le. Tā hé Sūn Wùkōng pǎo chū le shāndòng.

他们说话的声音吵醒了魔鬼。她很生气，但也感到对唐僧有欲望。她对他说，"所以你真的不想和我结婚？你就愿意做一个和尚，每天晚上一个人睡在地上？"

孙悟空从山洞里飞了出去。他对猪说，"你放心，我们师父昨天晚上没有和魔鬼睡觉。他说他没有脱了他的衣服，他也没有碰她。他只想在佛的道上。"

"那好吧，"猪回答。"他还是个和尚。我们去救他。"

猴子和猪拿着他们的武器跑进了山洞。魔鬼见了他们，他们再次开始战斗。火和烟从魔鬼的口中出来，她用三股叉的技术[56]非常好。孙悟空和猪不能打败她。然后她刺在了猪的嘴唇上。"哦，疼[57]，疼！"他哭了。他和孙悟空跑出了山洞。

---

[56] 技术　　jìshù – skill
[57] 疼　　　téng – pain

Tāmen huí dào le Shā dàizhe mǎ hé xínglǐ děng tāmen de dìfāng. Tāmen zuò zài dìshàng. Zhū yīnwèi zuǐchún shàng de shāng tòng zài kūzhe. Sūn Wùkōng hé Shā zài tǎolùnzhe zěnme hé móguǐ zhàndòu. Ránhòu tāmen kàn dào yígè lǎo fùrén cóng shānlù shàng zǒu lái. Tā de zuǒshǒu názhe yì lánzi shūcài. "Dà gē," Shā shuō, "qù gēn zhège nǚrén tán tán. Tā zhù zài zhè dìfāng, tā kěnéng zhīdào shāndòng zhōng móguǐ de shìqing."

Sūn Wùkōng xiàngzhe nàge nǚrén zǒu le guòqù. Dāng tā zǒu jìn shí, tā kàndào tā tóu de sìzhōu dōu shì měilì de yún. Tā guì le xià lái, duì qítā rén shuō, "Xiōngdìmen, kuài kòutóu! Shì Guānyīn púsà!" Sān rén dōu xiàng tā kòutóu.

"Púsà," Sūn Wùkōng shuō, "qǐng yuánliàng wǒmen méiyǒu hǎohǎo de xiàng nǐ wènhǎo. Wǒmen de shīfu zài wéixiǎn zhōng, wǒmen yìzhí méi néng jiù tā. Nǐ néng bāng wǒmen ma?"

Guānyīn shuō, "Wùkōng, zhè móguǐ fēicháng fēicháng de wéixiǎn. Tā de sāngǔ chā qíshí shì tā de qián zhuǎ. Nǐde shāng láizì tā wěibā

他们回到了沙带着马和行李等他们的地方。他们坐在地上。猪因为嘴唇上的伤痛在哭着。孙悟空和沙在讨论着怎么和魔鬼战斗。然后他们看到一个老妇人从山路上走来。她的左手拿着一篮子蔬菜。"大哥，"沙说，"去跟这个女人谈谈。她住在这地方，她可能知道山洞中魔鬼的事情。"

孙悟空向着那个女人走了过去。当他走近时，他看到她头的四周都是美丽的云。他跪了下来，对其他人说，"兄弟们，快叩头！是观音菩萨！"三人都向她叩头。

"菩萨，"孙悟空说，"请原谅我们没有好好地向你问好。我们的师父在危险中，我们一直没能救他。你能帮我们吗？"

观音说，"悟空，这魔鬼非常非常的危险。她的三股叉其实是她的前爪。你的伤来自她尾巴

shàng de dú cì. Shì de, zhè yāoguài qíshí shì xiēzi jīng.
Hěnjiǔ yǐqián, tā zhù zài Léi Yīn Shān. Tā tīngguò fózǔ
jiǎng de kè. Fózǔ jiàn le tā, xiǎng bǎ tā tuī kāi. Tā cì le
fózǔ zuǒshǒu de shǒuzhǐ. Fózǔ dōu juédé zhè zhǒng tòng
shì hěn kěpà de. Tā ràng tā de yìxiē shèngrén qù zhuā tā,
dàn tā táo dào le zhège shāndòng lǐ. Tā xiǎng chéngwéi
rén, suǒyǐ tā gǎibiàn le tā de yàngzi."

"A," Sūn Wùkōng shuō, "wěidà de púsà néng bùnéng
gàosù wǒmen, zěnyàng cáinéng cóng zhè zhī xiēzi jīng
nàlǐ jiùchū wǒmen de shīfu?"

"Qù dōng tiānmén. Zhǎo Mǎorì Xīng Guān. Tā huì zhīdào
zěnme dǎbài zhège móguǐ jīng." Ránhòu Guānyīn biàn
chéng yídào jīnsè de guāng, huí dào nánhǎi.

Sūn Wùkōng gàosù lìngwài liǎng gè túdì, tā yào qù dōng
tiānmén zhǎo Mǎorì Xīng Guān. Tā yòng tā de jīndǒu
yún, hěn kuài jiù dào le dōng dàmén. Sì wèi tiānshàng de
dàshī jiàn le tā. "Dà shèng, nǐ yào qù

上的毒刺[58]。是的，这妖怪其实是蝎子精。很久以前，她住在雷音山。她听过佛祖讲的课。佛祖见了她，想把她推开。她刺了佛祖左手的手指。佛祖都觉得这种痛是很可怕的。他让他的一些圣人去抓她，但她逃到了这个山洞里。她想成为人，所以她改变了她的样子。"

"啊，"孙悟空说，"伟大的菩萨能不能告诉我们，怎样才能从这只蝎子精那里救出我们的师父？"

"去东天门。找昴日星官[59]。他会知道怎么打败这个魔鬼精。"然后观音变成一道金色的光，回到南海。

孙悟空告诉另外两个徒弟，他要去东天门找昴日星官。他用他的筋斗云，很快就到了东大门。四位天上的大师见了他。"大圣，你要去

---

[58] 毒刺　　dú cì – stinger

[59] Mao is the Maned Head, the 18th of the 28 constellations in the Chinese zodiac. It has seven stars and corresponding to Pleiades in the Western zodiac.

nǎlǐ?" yí wèi dàshī wèn.

"Wǒ yídìng yào zhǎodào Mǎorì Xīng Guān," Sūn Wùkōng huídá.

"Nǐ huì zài Guān Xīng Tái nàlǐ zhǎodào tā."

Sūn Wùkōng fēi dào Guān Xīng Tái. Tā kàndào yì bǎi míng shìbīng zǒuguò Guān Xīng Tái. Zài tāmen hòumiàn shì wěidà de Mǎorì Xīng Guān. Tā tóu dài jīn mào, shēn chuān yù kuījiǎ. Yìtiáo hěn kuān de bǎobèi yāodài shàng guàzhe qīxīng jiàn. Shìbīngmen kàndào Sūn Wùkōng, tíng le xiàlái. Mǎo shuō, "Dà shèng wèishénme lái zhèlǐ?"

"Xiānshēng, wǒ shīfu bèi xiēzi jīng zhuā zǒu le. Tā yǒu hěn dà de wéixiǎn. Wǒ hé túdì xiōngdìmen dōu bùnéng jiù tā. Gāngcái Guānyīn púsà shuō nǐ kěyǐ bāng wǒmen jiù wǒmen de shīfu."

"Hǎo de. Wǒ yìbān huì gàosù Yùhuáng Dàdì, dàn wǒ kàn nǐ hěn zhāojí. Suǒyǐ wǒ bú gàosù Yùhuáng Dàdì le, yě bù gěi nǐ ná chá le. Wǒmen xiànzài zǒu ba!" Tāmen yìqǐ fēi xià tiāngōng, lái dào le shāndòng.

Sūn Wùkōng duì Zhū, Shā shuō, "Qǐlái, qǐlái! Xīng shén lái

哪里？"一位大师问。

"我一定要找到昂日星官，"孙悟空回答。

"你会在观星台那里找到他。"

孙悟空飞到观星台。他看到一百名士兵走过观星台。在他们后面是伟大的昂日星官。他头戴金帽，身穿玉盔甲。一条很宽的宝贝腰带上挂着七星剑。士兵们看到孙悟空，停了下来。昂说，"大圣为什么来这里？"

"先生，我师父被蝎子精抓走了。他有很大的危险。我和徒弟兄弟们都不能救他。刚才观音菩萨说你可以帮我们救我们的师父。"

"好的。我一般会告诉玉皇大帝，但我看你很着急。所以我不告诉玉皇大帝了，也不给你拿茶了。我们现在走吧！"他们一起飞下天宫，来到了山洞。

孙悟空对猪、沙说，"起来，起来！星神来

le!"

Zhū shuō, "Wǒ zhàn bù qǐlái. Wǒ de zuǐchún hái hěn tòng!"

"Ràng wǒ kàn kàn," Mǎo shuō. Tā kàn le Zhū de zuǐchún, ránhòu yòng tā tián tián de qì chuī zài shàngmiàn. Tòng mǎshàng tíng le, zuǐchún huí dào le zhèngcháng de dàxiǎo.

"Tài hǎole!" Sūn Wùkōng shuō. "Nǐ yě kěyǐ chuī wǒ de tóu ma?"

"Nǐ de tóu zěnmele? Zài wǒ kàn lái méi wèntí."

"Xiēzi jīng zuótiān cì le wǒ. Tòng yǐjīng tíngzhǐ le, dàn hěn yǎng, gǎnjué dào má." Suǒyǐ xīng shén zài Sūn Wùkōng de tóu shàng chuī le yìkǒu tián qì, yǎng hé má dōu xiāoshī le.

"Xiànzài, ràng wǒmen lái jiějué zhège xiēzi jīng," Mǎo shuō. "Nǐmen liǎng gè, qù shāndòng kāishǐ zhàndòu. Bǎ tā dài chūlái. Wǒ huì děngzhe tā."

Sūn Wùkōng hé Zhū chōng jìn le shāndòng, gāojǔ wǔqì. Tāmen zále

了！"

猪说，"我站不起来。我的嘴唇还很痛！"

"让我看看，"昴说。他看了猪的嘴唇，然后用他甜甜的气吹在上面。痛马上停了，嘴唇回到了正常的大小。

"太好了！"孙悟空说。"你也可以吹我的头吗？"

"你的头怎么了？在我看来没问题。"

"蝎子精昨天刺了我。痛已经停止了，但很痒，感觉到麻[60]。"所以星神在孙悟空的头上吹了一口甜气，痒和麻都消失了。

"现在，让我们来解决这个蝎子精，"昴说。"你们两个，去山洞开始战斗。把她带出来。我会等着她。"

孙悟空和猪冲进了山洞，高举武器。他们砸了

---

[60] 麻　　　má – numb

èr lóu de mén, dàshēng màzhe. Xiēzi jīng gāng zhǔnbèi sōng kāi Tángsēng de shéngzi, gěi tā chī de hé hē de. Kàn dào liǎng gè túdì lái le, tā jiù tiào le qǐlái, yòng tā de sāngǔ chā hé tāmen zhàndòu. Tāmen dǎ le jǐ fēnzhōng. Xiēzi jīng xiǎng yào cì tāmen, dàn tāmen hěn kuài jiù pǎo chū le shāndòng. Xiēzi jīng gēn zài tāmen hòumiàn, gāojǔzhe dú cì. "Kuài, Mǎorì Xīng Guān, xiànzài jiù dòngshǒu!" Sūn Wùkōng hǎn dào.

Mǎorì Xīng Guān biàn huí dào tā zìjǐ de yàngzi, yì zhī qī chǐ gāo de dà gōngjī. Tā duìzhe xiēzi jīng, dà jiào yìshēng. Xiēzi jīng biàn huí dào le tā zìjǐ de yàngzi, xiēzi de dàxiǎo xiàng yì zhī xiǎo gǒu. Tā yòu jiào le yìshēng, xiēzi jīng dào zài dìshàng sǐ le.

Mǎorì Xīng Guān méi shuō yījù huà, jiù fēi dào kōngzhōng, huí dào le tiāngōng. Sān míng túdì xiàng tiān jūgōng, shuō, "Xièxie. Duìbùqǐ gěi nǐ dài lái zhège máfan. Wǒmen huì qù nǐ de gōngdiàn, miànduìmiàn de gǎnxiè nǐ."

Sān gè túdì huí dào shāndòng zhōng, zhǔnbèi hé xiēzi jīng de bāngshǒu zhàn

二楼的门，大声骂着。蝎子精刚准备松开唐僧的绳子，给他吃的和喝的。看到两个徒弟来了，她就跳了起来，用她的三股叉和他们战斗。他们打了几分钟。蝎子精想要刺他们，但他们很快就跑出了山洞。蝎子精跟在他们后面，高举着毒刺。"快，昂日星官，现在就动手！"孙悟空喊道。

昂日星官变回到他自己的样子，一只七尺高的大公鸡。他对着蝎子精，大叫一声。蝎子精变回到了她自己的样子，蝎子的大小像一只小狗。他又叫了一声，蝎子精倒在地上死了。

昂日星官没说一句话，就飞到空中，回到了天宫。三名徒弟向天鞠躬，说，"谢谢。对不起给你带来这个麻烦。我们会去你的宫殿，面对面地感谢你。"

三个徒弟回到山洞中，准备和蝎子精的帮手战

dòu. Dànshì dāng tāmen dào shāndòng shí,

bāngshǒumen dōu guì le xiàlái. Yígè bāngshǒu shuō,

"Dàren, wǒmen búshì móguǐ. Wǒmen shì Xī Liáng de

nǚhái hé nǚrén, hěnjiǔ yǐqián bèi móguǐ zhuā zhù.

Wǒmen zài zhèlǐ zuò le duōnián de núlì. Nǐmen huì zài

dòng hòumiàn de yígè fángjiān lǐ zhǎodào nǐmen de

shīfu. Tā zài kū."

Sūn Wùkōng zǐxì kànzhe tāmen. Tā shuō, "Wǒ kàn nǐmen

búshì móguǐ. Hǎo le, nǐmen kěyǐ zǒu le." Túdìmen pǎo

dào le shāndòng de hòumiàn, zhǎodào le Tángsēng.

"Jiàndào nǐmen zhēn gāoxìng!" tā shuō. "Nàge nǚrén

zěnmele?"

"Nà búshì nǚrén," Sūn Wùkōng shuō. "Nà shì xiēzi jīng.

Guānyīn chūxiàn zài wǒmen miànqián, gàosù wǒmen

zhǐyǒu Mǎorì Xīng Guān kěyǐ bāngzhù wǒmen. Wǒ qù le

dōng tiānmén, zhǎodào le Mǎorì Xīng Guān. Tā lái dào

zhèlǐ, shā sǐ le xiēzi jīng."

Tángsēng yícì yícì de xiè le tāmen. Ránhòu tāmen kàn le

shāndòng de sìzhōu, fāxiàn le yìxiē mǐfàn hé miàntiáo.

Tāmen chī le yì

斗。但是当他们到山洞时，帮手们都跪了下来。一个帮手说，"大人，我们不是魔鬼。我们是西梁的女孩和女人，很久以前被魔鬼抓住。我们在这里做了多年的奴隶。你们会在洞后面的一个房间里找到你们的师父。他在哭。"

孙悟空仔细看着她们。他说，"我看你们不是魔鬼。好了，你们可以走了。"徒弟们跑到了山洞的后面，找到了唐僧。

"见到你们真高兴！"他说。"那个女人怎么了？"

"那不是女人，"孙悟空说。"那是蝎子精。观音出现在我们面前，告诉我们只有昴日星官可以帮助我们。我去了东天门，找到了昴日星官。他来到这里，杀死了蝎子精。"

唐僧一次一次地谢了他们。然后他们看了山洞的四周，发现了一些米饭和面条。他们吃了一

diǎn fàn. Chī wán fàn hòu, tāmen bāngzhù nǚháimen huí jiā. Ránhòu tāmen diǎn le huǒ, bǎ shāndòng lǐ de dōngxi dōu shāo le.

Zhè yǐhòu, tāmen zàicì kāishǐ xīyóu.

点饭。吃完饭后，他们帮助女孩们回家。然后他们点了火，把山洞里的东西都烧了。

这以后，他们再次开始西游。

The Country of Women

Tangseng and his three disciples left Golden Mountain and continued their journey to the west. They traveled for several months. The snows of winter arrived, and melted in the spring rain. The cold ground became soft and wet under their feet. The mountains and valleys turned from brown to green. Birds sang in the trees.

One day in early spring the travelers arrived at a river. They could see across to the other side but it was too wide and deep for Tangseng's horse to cross. There were some small houses on the other side of the river. Sun Wukong said, "That is a small village. There must be a ferry to take people across the river."

They looked for a ferry but did not see one. Zhu dropped the luggage and shouted, "Hey ferryman! Hey ferryman! Come here now!" A few minutes later a small boat emerged from under some willow trees and began slowly crossing the river. The boat was small but the travelers could see that it was large enough for them, their horse, and their luggage.

The ferry arrived at the riverbank. The person on the boat called, "Well, if you want to cross the river, get moving." Tangseng urged his horse to move forward. He looked carefully at the person in the boat. He was surprised to see that it was an old woman wearing an old coat and hat. Her hands were strong and her skin was brown and weathered.

Sun Wukong walked to the boat and said, "You are running this boat?"

"Yes," said the woman.

"Where is the ferryman?"

The woman smiled but did not answer. She waited for the four travelers and the horse to walk onto the boat. Then she pushed the boat away from the bank and rowed across the river to the other side. She tied a rope from the boat to a pillar and waited for the travelers to get off the boat. Tangseng told Sha Wujing to give her a few pennies. The woman took the money and walked away. They could hear her laughing as she walked.

Tangseng felt very thirsty. He looked at the water. It appeared to be clear and clean. "Zhu," he said, "get the begging bowl and fill it with water. I am thirsty." Zhu put the bowl in the river and filled it with water. He gave the bowl to Tangseng, who drank about a cupful of it. Then Zhu poured the rest of the water into his own mouth.

They continued walking west. In less than a half hour, though, both Tangseng and Zhu began feeling terrible pain in their stomachs. "The pain is awful!" they both cried. Their bellies began to swell. Tangseng put his hand on his belly. He felt something moving under his skin.

Soon they came to another small village. "Wait here," said Sun Wukong. "I will find someone to give you some medicine."

He walked over to an old woman who was sitting in front of her house. He said to her, "Grandmother, this poor monk has come from the land of Tang in the east. My master is traveling to the western heaven to find the Buddha's holy books. A little while ago he drank some water from a river. Now he is feeling quite ill. Is there someone here who can help us?"

The woman laughed and said, "So, you people drank water

from the river? Come inside my house, all of you, I will tell you something." The four travelers followed her into her house. Sun Wukong helped Tangseng to walk, while Sha helped Zhu.

Sun Wukong said to her, "Grandmother, please give my master some warm water to drink." But the old woman ran outside and called to her friends to come and look. Soon several middle-aged women came into the house. They pointed at the travelers and laughed loudly.

This made Sun Wukong angry. He grabbed the old woman and said, "Give us some hot water right now, or I will smash you with my rod."

But the woman just said, "Hot water will not help you. let me go and I'll tell you."

Sun Wukong let her go. She said, "You are in the Country of Women, in the Kingdom of Western Liang. There are no men here, only women and girls. You foolishly drank water from the Mother and Child River. When a young woman turns twenty years old and wants to become pregnant, she drinks from that river. Your master drank from that river, and so did that ugly pig. They both are pregnant now. Hot water will not change the situation!"

"Oh no!" cried Zhu. "We are men. How can a baby come out of us?"

"Don't worry," laughed Sun Wukong. "The ancients say, 'when a fruit is ripe it will fall by itself.' Maybe the baby will come out of a hole in your armpit."

"I'm going to die, I'm going to die," cried Zhu, shaking his body.

Sha said to him, "Second elder brother, don't shake so much. You might hurt the baby."

Sun Wukong said to the woman, "Do you have any drugs that we can use to end this pregnancy?"

The woman replied, "Drugs cannot help you. But if you go south a few miles you will come to Male Undoing Mountain. In the mountain is a cave. In the cave is a well. If you drink from that well you can end the pregnancy."

"That sounds good," said Sun Wukong.

"Ah, but it's not easy. Last year a Daoist came to the cave. He stopped giving the magic water away for free. You must give him money, meat, wine and fruit. Then he will give you a tiny cup of water. But you are poor monks. You have no money, so you cannot get any water from him."

"Grandmother," said Sun Wukong, "how far is it to the Male Undoing Mountain?"

"About three thousand miles," she replied.

"Excellent!" he said. He told Sha Wujing to take care of Tangseng and Zhu. The woman gave him a large bowl and asked him to fill it with magic water. Sun Wukong took the bowl. He jumped into the air and used his cloud somersault to fly south to the Male Undoing Mountain.

A little while later he arrived at a tall mountain. Near the bottom of the mountain he saw a building. It was quite beautiful. In front of the building, a small stream ran under a wooden bridge. He walked up to the gate. An old Daoist sat on the ground outside the gate. Sun Wukong put down the bowl and bowed to the Daoist.

The Daoist nodded his head and said, "Where did you come from? Why have you come to my little cave?"

Sun Wukong replied, "This poor monk is traveling with a holy monk from the Tang Empire. We are journeying to the western heaven. My master was thirsty and foolishly drank water from the Mother and Child River. Now his belly is swollen and he is in great pain. I was told that in this cave there is water that can help him. I ask you to give us some of that water."

The Daoist replied, "My master is the True Immortal. This is his cave and this is his water. If you want some of his water you must bring gifts. I see you are a poor monk and you have no gifts. Please go away now. We have nothing for you."

"Please tell your master that Sun Wukong, the Great Sage Equal to Heaven, is here. Perhaps he will give me some water. Perhaps he will give me the whole cave."

The Daoist went inside the cave and said to his master, "Sir, there is a Buddhist monk outside. He says he is Sun Wukong, the Great Sage Equal to Heaven. He would like to have some of our water."

The Immortal became very angry when he heard this. He jumped up and ran outside the cave. He shouted, "Are you really Sun Wukong, or are you another man using his name?"

Sun Wukong looked at the Immortal. He had a red beard, red hair, and sharp white teeth. He wore a red robe with golden threads. On his head was a cap of many colors. In his right hand was a sharp golden hook. Sun Wukong said to the Immortal, "Of course I am Sun Wukong. The ancients say, 'a good man does not change his surname when he stands, nor his given name when he sits.' "

"Do you recognize me?"

"Sir, I have been traveling for several years, but I have never seen your handsome face."

"Is your master the Tang monk?"

"Yes."

"In your journey to the west, did you happen to meet a Great King Holy Child?"

"Yes, that is the nickname of the demon called Red Boy. Why does the True Immortal ask?"

"I am his uncle. The Bull Demon King is my older brother. Some time ago he wrote me a letter and said that Sun Wukong, the eldest disciple of the Tang monk, brought terrible harm to his son, the Great King Holy Child. I did not know where to look for you. But now here you are, standing in front of my cave, asking for water!"

Sun Wukong smiled, trying to calm down the Immortal. "Sir, you are wrong. Your older brother was my friend, my bond brother. His son was not harmed at all. He became a disciple of the Bodhisattva Guanyin. His name is now Sudhana."

"Stop flapping your tongue, you old monkey! Do you think that Red Boy is better off a slave to Guanyin than when he was a king? Of course not. I will have my revenge!" He struck at Sun Wukong with his hook.

Sun Wukong blocked the hook and said, "Sir, please stop this warlike talk. Just give me some water and I will leave."

"You idiot! You cannot fight against me. If you can live for fifteen minutes I will give you water. If not, I will cut you up and use you as meat for my dinner!"

And so, the two of them began to fight in front of the cave. The poem says,

> The holy monk drank from the stream
> And so the Great Sage must seek magic water
> Who knew it was guarded by a True Immortal?
> They speak with angry words, they fight to the death
> One comes seeking water for his master
> The other seeks revenge for his brother's son
> Quick as a scorpion is the hook
> Trying to grab the monkey's leg
> Strong as a dragon is the Golden Hoop Rod
> Trying to stab the Immortal's chest
> All day they fight, both trying to win
> Again the hook hooks, again the rod strikes
> But neither one can win the fight.

The True Immortal became tired. He ran into the back of the cave and disappeared. Sun Wukong did not follow him. He ran a short distance into the cave with the bowl. He filled the bowl with water from the well. Just then, the True Immortal came out from the back of the cave, swinging his hook.

Sun Wukong held the bowl in one hand and his Golden Hoop Rod in the other. This made it difficult for him to fight. The True Immortal hooked his hook around Sun Wukong's leg, making him fall and drop the bowl. Sun Wukong could not fight and also get water, so he turned and flew out of the cave, saying, "I need help."

He returned to the old woman's house and told Tangseng and

Zhu everything that happened in the cave. "Now I need Sha to come with me. I will fight with the True Immortal while Sha gets the water."

Tangseng said, "But while you are gone, who will take care of us?"

"Don't worry," said the old woman, "I will take care of you. You are lucky to have come to my house."

"Why are we lucky?" asked Sun Wukong.

"Remember, there are no men in this village. I am old and not interested in love anymore. But there are younger women in some of the other houses. If you came to their houses, they would want to make love to you. If you refused, they would kill you and cut you into small pieces."

"That doesn't sound so bad," said Zhu. "Except for the killing part."

"Save your strength, Zhu," said Sun Wukong. "You will need it when it's time for your baby to come out."

Sun Wukong and Sha left the house, carrying a bucket and two ropes. They flew to the Male Undoing Mountain. Sun Wukong said to Sha, "take this bucket and ropes. Hide outside the cave. I will start a fight with the True Immortal. When the fighting starts you go into the cave and get the water from the well. Then leave quickly."

Sun Wukong walked up to the cave and shouted, "Open the door! Open the door!"

The True Immortal came out and replied, "This is my cave, this is my water. Even a king must beg me for a little water.

You have nothing to give me and I don't see you begging. So get out of here."

Sun Wukong rushed at the True Immortal with his Golden Hoop Rod, and the two began to fight again. While they were fighting, Sha entered the cave, found the well, and filled the bucket. The old Daoist saw him. He said, "Who are you to steal our water?"

Sha hit him with his staff, breaking the Daoist's shoulder and arm. The Daoist fell to the ground. Sha said, "I will not kill you, old man. Just stay out of my way." He picked up the bucket and ran out of the cave. He shouted to Sun Wukong, "Elder Brother, I have the water. You don't need to kill the True Immortal!"

Sun Wukong stopped fighting. He said to the True Immortal, "I could kill you easily. But it is better to let someone live than to kill him, so I will let you go. But from now on, you must give water free to anyone who asks for it."

"Never!" cried the True Immortal, and he rushed at Sun Wukong. The monkey grabbed the immortal's hook. He broke it into two pieces. Then he broke those two pieces into four pieces. He threw the pieces on the ground, shouting, "Now do you agree to give water freely?" The immortal said nothing, he just looked at his broken weapon and nodded his head. Sun Wukong used his cloud somersault to fly quickly back to the village.

Sun Wukong and Sha entered the house. They saw that Tangseng and Zhu were almost ready to give birth. The old woman said, "Quick, give me the water!" she dipped a cup into the bucket, filling the cup with water. "Drink this slowly," she said to Tangseng, "it will dissolve the baby in your belly."

Zhu grabbed the bucket and said, "I don't need a cup!"

"WAIT!" she shouted at him. "If you drink the whole bucket of water, everything inside your body will dissolve and you will die in great pain." Zhu drank just half of the bucket of water.

Soon their pain became less. They both felt a strong urge to go to the bathroom. The old woman gave chamber pots to both of them. They went outside and spent some time filling the chamber pots. Their pain stopped and their bellies returned to normal size. Some of the women prepared some soup for them to eat.

"Holy father, may we have the rest of the water?" asked the old woman.

"Zhu, do you need any more water?" asked Tangseng.

"No, I feel fine," Zhu replied. So Tangseng gave the rest of the water to the old woman. The women prepared a vegetarian meal for the four travelers. They all had a good dinner, then they rested for the night. The next morning they left the village and continued on their way.

*** Chapter 54 ***

After walking about forty miles the travelers arrived at a city. Tangseng said to the disciples, "Remember that we are still in the Country of Women. All of you must act like monks and not wild animals. Be respectful and keep your desires under control."

They entered the city. Soon they were in the marketplace. They saw hundreds of women and girls buying and selling many different things. There were stores selling food, medicine and clothing. There were wine shops and tea shops and small restaurants. Many people were in the street. When the people saw the travelers several of them clapped their hands and shouted, "Look, human seeds are coming! Human seeds are coming!" The travelers could not move forward because the street was full of shouting people.

"Quick," shouted Sun Wukong, "frighten them away!" Zhu flapped his ears and lips. Sha waved his arms. Sun Wukong jumped up and down. The women became frightened. They backed away from the disciples but they continued to look at the handsome Tang monk. Slowly the travelers crossed the marketplace, followed by hundreds of women and girls.

They reached the end of the marketplace. A woman stood in the middle of the road. She said to them, "Visitors are not allowed in this city without permission. You must go to the Men's Post House and wait there. I will announce you to the queen. If she decides to help you, she will sign your rescript and you may continue on your journey."

The woman pointed to a nearby building. It had a sign saying "Men's Post House." They entered and sat down. A housekeeper served them tea. After about an hour the official came and asked, "Where do the visitors come from?"

Sun Wukong told her, "We are poor monks traveling from the land of Tang. We are going to the western heaven to seek holy books. There are four of us plus the horse. We beg you to sign our rescript and allow us to continue on our journey."

The official told the housekeeper to prepare food for the travelers. Then she hurried to the palace. She told the guard at the gate that she needed to see the queen immediately. A few minutes later she was standing in front of the queen.

"Why does the official of the Men's Post House wish to see me?" asked the queen.

The official told the queen about the travelers who were waiting in the Men's Post House. The queen smiled and said, "Last night I had a dream. Beautiful colors came from golden screens, and rays of sunlight came from mirrors of jade. Now I think that the heavens have sent a gift to us. This Tang monk will be my husband. We will have children, they will have children of their own, and our country will continue for thousands of years."

The official replied, "Your Majesty, this is a good idea. But I have seen the disciples of the Tang Monk. They do not look like men. They are like wild animals or spirits."

"That will not be a problem," replied the queen. "We will sign the travel rescript for the three disciples. We will give them food and money and let them go westward. The Tang monk will stay here and be my husband."

Tangseng and the three disciples were waiting in the Men's Post House. They ate vegetarian food and drank tea. "What do you think will happen?" asked Tangseng.

"Oh, they are probably going to ask you to marry the queen," replied Sun Wukong.

"If they do that, what should we do?"

"Master, just say yes to them. Old Monkey will take care of the matter."

Just then the official returned to the Men's Post House. She bowed low to Tangseng. Tangseng said, "Dear lady, I am a poor monk who has left his family. Why do you bow to me?"

The official replied, "Father, we wish you ten thousand happinesses."

"I am just a poor monk. Where does my happiness come from?"

"Father, this is the Country of Women. We have not had any men here for many, many years. We are lucky that you have arrived. My queen has decided to use all the silver and gold of this kingdom to make you an offer of marriage. You will have the seat of honor facing south, and you will be the man set apart from others. The queen will remain as the ruler of this land but you will be her husband. We will give your disciples money and food so that they can continue to the western heaven. When they return, we will give them more money and food to help them return to the land of Tang."

Tangseng said nothing. The official continued, "This is a wonderful opportunity for you, father. My queen would like your answer quickly."

When Tangseng still said nothing, Zhu stepped forward and said, "You don't understand. My master is a holy monk. He has studied the way of the Buddha for ten lifetimes. He has no interest in wealth or power or marriage. You should just sign his rescript and let him go. I will stay and be the queen's husband."

The official looked at Zhu. She closed her eyes for a moment and then opened them again. "Sir, it's true that you are a male. However you are extremely ugly. Our queen would not want to marry you."

"I think you are being much too inflexible," said Zhu. "I would be a very good husband."

131

"Oh stop this," said Sun Wukong to Zhu. He said to the official, "We will let our master stay here and marry the queen. The three of us will continue to the western heaven. When we return, we will visit the queen and her husband to ask for money and food to finish our journey back to our home.

The official bowed and thanked Sun Wukong. Zhu said, "And we would like a great feast tonight, with lots of food and drink!"

"Of course," replied the official, and she left the Men's Post House.

As soon as she was gone, Tangseng grabbed Sun Wukong and shouted at him, "You devil monkey! Your tricks are killing me! how can you tell them that I will marry the queen? I would not dare to do such a thing."

"Relax, Master," said Sun Wukong, "I understand how you feel. But we must use our tricks against their tricks."

"What do you mean?"

"Think about it. What would happen if you said no to marrying the queen? Do you think they would just sign our rescript and let us leave? Of course not. They would try to force you to marry her. You would say no again. Then there would be a big fight. I would have to use my rod. You know that my rod is for fighting demons, not ordinary women. I would have to kill hundreds of them. Do you really want me to do that? Do you want the blood of so many people on your hands?"

Tangseng nodded his head. He said, "I understand. You are wise. But what can we do? If the queen asks me to come into her palace, she will want me to do what husbands do. How can

I agree to that? How can I give up my yang and leave the path of the Buddha?"

"Don't say no to her. let her send her chariot to pick you up and bring you to the palace. Ask her to sign the rescript. Have a nice dinner with her but do not go into the bedroom with her. After dinner, tell her that you wish to use the chariot to say goodbye to your disciples. Of course she will give you the chariot. Ride the chariot outside the city and meet us. Then you can get on the white horse and we will leave this place."

"Won't they just follow us?"

"Old Monkey will take care of that. I will use my magic to make them unable to move for a full day and night. That will give us time to get away. After a day and a night they will be able to move again, but we will be gone. Nobody will be hurt."

Tangseng felt like he had awakened from a terrible dream. He thanked Sun Wukong for his wisdom.

While this was happening, the official ran into the palace and said to the queen, "Your Majesty, your dream will soon come true. You will soon have the happiness of marriage! I talked with the travelers and told them that you wanted to marry the Tang monk. The monk was hesitant, but his senior disciple agreed to the marriage. He only asks that you sign their travel rescript so they can continue on their journey."

"Did the Tang monk say anything at all?"

"No. I think he did not know whether he wanted to get married. The first disciple did all the talking. Oh, and the second disciple wanted a banquet with lots of drinking."

The queen told her servants to prepare a great banquet for the travelers. Then she told the servants to bring her chariot and horses. She rode the chariot out of the palace gate and to the Men's Post House. A hundred officials from the palace followed the chariot. Tangseng and the three disciples walked out of the Men's Post House to meet her. She looked at each of them. "Which one of you is the man who I will marry?" The official pointed to Tangseng.

She was filled with desire for the handsome monk. She smiled at him and said, "Royal brother, aren't you coming to ride the phoenix with me?" Tangseng's face turned red.

Sun Wukong laughed and said, "Don't worry, master, I think she just wants you to ride on the chariot with her." Tangseng nodded his head and relaxed a little bit. Zhu stared at the beautiful queen and drool fell from his mouth.

The queen dismounted from the chariot. She walked up to Tangseng and said softly in his ear, "Dear brother, come with me now. Climb onto the phoenix chariot and ride with me to the palace. We will become husband and wife!"

Tangseng did not move. Sun Wukong pushed him a little bit. He whispered in Tangseng's other ear, "Go ahead, Master. Don't worry." Tangseng gave the queen a little smile and mounted the phoenix chariot. The chariot turned around and went back into the palace, followed by the officials. Zhu ran after the chariot, shouting, "Wait! We have to drink the wedding wine!"

The queen leaned close to Tangseng. She said softly in his ear, "Who is that ugly pig-man following us?"

"That is my second disciple, Zhu Wuneng. He is always hungry and thirsty. Just give him some food and wine, then we can continue with our business."

"Dear," she said, smiling at him, "do you eat meat or are you a vegetarian?"

"This poor monk is a vegetarian, but my disciples do like wine. My second disciple likes wine very much."

They arrived at the palace. White birds flew in the sky above them. They heard music coming from the towers. Dozens of servants waited and watched as they rode past.

They entered the main hall of the palace. There were tables for the guests. The queen and Tangseng sat at the head table, with the queen on the right and Tangseng on the left. The three disciples sat on both sides of them. The other officials and guests sat at the other tables. The queen raised her glass of wine and gave a toast to all of the guests. She looked at Tangseng. Tangseng did not know what to do. Sun Wukong leaned towards him and whispered in his ear, "It's time for you to give a toast, Master!!" Then Tangseng gave a toast to the queen and all the guests.

The music stopped, and the guests began to eat and drink. Many different delicious foods were set out on the tables. Zhu pushed large quantities of food into his mouth followed by seven or eight cups of red wine. "Bring more wine!" he shouted. The servants brought more wine for him.

When the guests were finished eating and drinking, Tangseng stood up. He said, "Your majesty, thank you for this wonderful banquet. We have had more than enough food and wine. Now, please sign our travel rescript, so that I can say goodbye to my disciples and send them on their way."

"Very well," said the queen.

The rescript was wrapped in cloth. Sha unwrapped it and handed it to Sun Wukong, who turned and gave it with two hands to the queen. The queen looked at the rescript. She saw the seals of the Tang Empire, and also seals from the Precious Image Kingdom, the Black Rooster Kingdom, and the Slow Cart Kingdom. She looked at Tangseng and asked, "Dear, why don't I see the names of your three disciples on this rescript?"

"My three troublemaking disciples are not from the Tang Empire," he replied. "My first disciple comes from Flower Fruit Mountain in the kingdom of Aolai. My second disciple comes from a village in Fuling Mountain. My third disciple comes from the River of Flowing Sand."

"Then why do they follow you?"

"All three broke the laws of heaven. The Bodhisattva Guanyin saved them. Now all three are on the path of the Buddha. They travel with me and protect me on my journey to the west. When I left the Tang Empire many years ago they were not with me. That is why their names are not on the rescript."

"May I add their names to the rescript?"

"My queen may do as she wishes."

The queen asked for ink and a brush. Using the brush she wrote the names of Sun Wukong, Zhu Bajie and Sha Wujing at the bottom of the rescript. She used her seal to stamp the rescript, then she signed her name under the stamp. She handed the rescript to Sun Wukong. He gave it to Sha. Sha wrapped it in cloth again and put it in his robe.

The queen gave a gold coin to Sun Wukong, saying, "Here is some money to help you journey to the west. When you return I will give you a lot more money and gifts."

Sun Wukong replied, "Your Majesty, we who have left our families cannot accept these gifts. As we travel we find places to beg for food. That is all we need."

The queen told one of her servants to give a large bolt of silk to Sun Wukong. She said, "Then please take this so that you can make clothing for yourselves."

Sun Wukong said, "Your Majesty, we who have left our families cannot wear silk clothing. We only wear cloth garments."

The queen then said, "Very well. Take three catties of rice, so you have something to eat."

Before Sun Wukong could say anything, Zhu shouted, "Thank you, Your Majesty!" and took the rice.

Tangseng stood up. He said to the queen, "Your Majesty, please ride with me in the phoenix chariot to the city's western gate. I want to say goodbye to my three disciples and give them a few final instructions. Then I will return, and we will spend the rest of our lives happy together as husband and wife."

They rode together to the western gate, followed by all the palace officials and hundreds of women and girls from the city. When they arrived at the western gate the three disciples said together, "Your Majesty need not go any further. We will leave now."

Then Tangseng stepped down from the chariot and said, "Goodbye, my queen. I must leave now."

The queen's face became pale with fear. She grabbed Tangseng's robe and cried, "My dear, where are you going? Tonight we will become husband and wife. Tomorrow you will sit on the throne of my kingdom. You have said yes. You have even eaten the wedding feast. Why do you change your mind now?"

Before Tangseng could say a word, Zhu rushed up to the chariot. He said to the queen, "How could a Buddhist monk marry a skeleton like you? let my master go on his journey!" This frightened the queen. She fell back into the chariot. Sha grabbed Tangseng and helped him mount his white horse. They turned to go, with Sha waving his staff to make the people move back.

Sun Wukong was just getting ready to use his magic to make the people immobile. But just then, a girl ran out from the crowd. She shouted, "Royal brother Tang, where are you going? I want to make love to you!" Sha tried to hit the girl with his staff, but he only hit the air. The girl called up a great wind. Then she grabbed Tangseng, and the two of them lifted into the air and disappeared.

*** Chapter 55 ***

Sun Wukong heard the sound of the great wind. He turned around and shouted to Sha, "Where is Master?"

Sha replied, "A girl came out of the crowd. She grabbed Master. The two of them flew away in a great wind."

Sun Wukong used his cloud somersault to rise up to the sky. Shading his diamond eyes with his hand he looked in all four directions. Far to the northwest he saw a huge dark thundercloud. "Brothers," he shouted, "fly with me. We must save Master!" All three of them flew away to the northwest.

On the ground, all the women and girls of Western Liang saw this. They fell to the ground, crying and shouting, "We did not know that these men are holy sages who can fly to heaven!"

One of the officials said to the queen, "Your Majesty, don't be frightened. This was no ordinary Chinese monk. He is a great sage. None of us could see this. Please sit down in your chariot, we will take you back to the palace."

We will leave the queen now and tell you about the three disciples. They flew rapidly to the northwest, following the dark thundercloud. Soon they came to a tall mountain. They dropped closer to the ground. Looking carefully they saw a large green flat rock standing upright like a screen. They looked behind the rock and saw two stone doors. Zhu wanted to smash down the doors, but Sun Wukong stopped him, saying, "Don't be stupid, younger brother. We don't know if Master is behind this door. What if this cave belongs to someone else? We don't want to offend someone for no reason."

Sun Wukong said some magic words and shook himself. He changed into a small bee. He flew through a small crack in the stone doors. Looking around the cave he saw a comfortable chair surrounded by colorful flowers. A beautiful female demon sat on the chair. Nearby were several young girls dressed in silk robes. They were all talking about something.

Two more young girls approached the demon carrying two plates of hot steaming buns. "Madam," they said, "here are the buns you asked for. One plate has buns stuffed with human flesh. The other has buns stuffed with red bean paste."

"Little ones," said the demon, "bring out the Tang monk." Two of the girls went into the back of the cave. Soon they returned with Tangseng. His face was yellow, his lips were white, and his eyes were full of tears.

The beautiful demon said to Tangseng, "Relax, royal brother! Our home is not as large as the queen's palace, but you will find it to be quite comfortable. It is quiet and peaceful here. You will stay here for the rest of your life, chanting the name of the Buddha and studying your holy books. You will be my companion."

Tangseng was so frightened he could not speak. The demon smiled at him and continued, "I know that you did not eat much at the banquet. You must be hungry. Please, try some of our tasty buns!"

Tangseng thought to himself, "This demon is not like the queen. If I make her angry she might kill me at any moment. I must keep her happy while I wait for my disciples to come and save me." So he said to the demon, "What is in the buns?"

The demon replied, "Some are filled with human meat. And some are filled with red bean paste. Which ones would you like to eat?"

"This poor monk has always been a vegetarian."

"Wonderful!" The demon called to her servants to bring some tea for Tangseng. Then she picked up a red bean paste bun, broke it into two pieces, and gave it to Tangseng. Tangseng picked up a meat bun and gave it to the demon but he did not break it open.

The demon laughed. "Dear, why did you not break open the meat bun?" she asked.

"This poor monk has always been a vegetarian. I dare not break open a meat bun."

Sun Wukong listened to this. He thought, "I don't know why

140

they are talking so much about buns. But I am worried about Master. It's time to end this." Shaking his body, he returned to his true form. He shouted, "leave my master alone, you evil demon. Stop eating your buns and taste my rod instead!"

Quickly the demon blew out some fog to hide herself and Tangseng. Then she shouted for her servants to take Tangseng to the back of the cave. Turning to Sun Wukong she said, "Lawless monkey, what are you doing in my home? Don't run away from me. Taste this!" She smashed her trident down on Sun Wukong, who blocked it with his rod.

The demon and the monkey king fought, trident against rod, moving slowly out of the cave. Zhu and Sha waited outside the cave. When the two fighters came out of the cave, Zhu shouted to Sha, "Quick, move the horse and luggage away from here and guard them. I will help Old Monkey fight the demon." Then he shouted to Sun Wukong, "Stand back, elder brother, let me fight this bitch!"

The demon saw Zhu coming. Fire came out of her nose. She shook her body, and now she was fighting with three tridents instead of one. She shouted, "Sun Wukong, I recognize you but you don't recognize me. But I tell you, even your Buddha in Thunderclap Mountain is afraid of me."

The demon attacked the two disciples. The air was filled with the sound of tridents, rake and rod smashing against each other. The three of them fought as the sun went down in the west and the moon came up in the east. Neither side could win. But suddenly the demon leaped into the air and stabbed down on Sun Wukong's head. Sun Wukong did not see the weapon. He cried out in pain, grabbed his head, and ran away. Zhu followed him. The demon picked up her tridents and went back into her cave.

Sun Wukong held his head in both of his hands, crying, "Oh the pain, the pain!"

"This is strange," said Sha. "Your head is very hard. Other monsters and demons have hit you on the head and caused no pain at all. What happened this time?"

"I don't know," replied Sun Wukong. "Ever since I stole the golden elixir of Laozi, my head has been as strong as diamond. When I caused trouble in heaven five hundred years ago, the Jade Emperor sent a whole army of warriors against me, but they could not hurt me. Then Laozi put me in his brazier for forty nine days, and that could not hurt me. I don't know what weapon this demon used against me!"

"Let me see your head," said Sha. "Move your hands away." He looked closely but could not see any bruise.

"This demon knows me," said Sun Wukong. "and she knows what happened to us in the Country of Women. But I don't know who she is." He touched his head softly with his hand. "Well, it's late and my head hurts. I don't think Master is in any immediate danger. The demon does not want to kill him. I think she wants to marry him. Master's mind is strong, though. I don't think he will surrender to desire tonight. let's rest."

Back at the cave, the demon put away her weapons and smiled at her servants. "Little ones," she said, "shut the doors and watch them. We don't want that ugly monkey to come back." Pointing to two more servants, she said, "Go into the bedroom and light the candles. I want to spend the night with the royal brother Tang."

Tangseng was brought into the bedroom. The demon smiled at him and gently held his arm. She said, "The ancient ones say,

'Gold has its price but who knows the price of pleasure?' let's you and me play husband and wife. We will have fun!"

Tangseng said nothing. He did not want to say no to her, because he was afraid she might kill him. So he followed her into the bedroom. His body was shaking, his eyes were closed. The poem says,

> His eyes see nothing
> His ears hear nothing
> To her, his handsome face is like heaven
> To him, her beautiful face is like dirt
> She takes off her clothes, her passion is strong
> He wraps his robe tighter, his will is stronger
> She only wants to seduce him
> He only wants to seek the Buddha
> She says, "I want you, my bed is ready."
> He says, "I am a monk, how can I go there?"
> She says, "I am as beautiful as Xi Shi."
> He says, "I am as upright as King Yue."

They talked and argued long into the night. Finally the demon could see that Tangseng had no interest in sleeping with her. So she had him tied up with ropes and dragged to the back of the cave. Then she put out the candles and went to sleep by herself.

The next morning, Sun Wukong was feeling much better. "My head does not hurt anymore. I just have a little itch."

Zhu laughed and said, "If you have an itch, you should ask the demon to smack it with her trident again."

Sun Wukong spat at him. "let's go, let's go, let's go!"

"All right. But last night, I think our Master was going wild,

wild, wild!"

Sun Wukong said to Sha, "Little brother, stay here and guard the horses and luggage. I will go with Zhu and take care of this demon."

The two of them returned to the cave. "Wait here," said Sun Wukong. "I will go inside and see what's going on. If Master really gave up his yang last night, we can all leave without him. But if he remained strong, you and I must fight the demon and save him."

"Don't bother," said Zhu. "You know what the ancients say, 'you can give a cat a pillow made of fish meat, but the pillow will get a lot of scratches during the night.'"

"Stop babbling," replied Sun Wukong. He changed into a bee again and entered the cave. He saw that the demon was still sleeping. "Hmmm, she seems to be very tired," he thought. "I wonder what happened last night." He flew deeper into the cave and found Tangseng tied up like a hog. "Master!" he said.

"Wukong!" Tangseng cried. "Save me!"

"How did it go last night?" asked Sun Wukong.

"Don't worry, I did not do anything last night. The demon kept at me for half the night. But I did not take off my clothes, I did not touch her or the bed. Finally she got tired of trying to seduce me, so she had me tied up like this. Please save me so that I can continue on our journey."

The sound of their talking woke up the demon. She was angry but she also felt desire for Tangseng. She said to him, "So you really don't want to marry me? You would rather stay a monk and sleep on the ground by yourself every night?"

Sun Wukong flew out of the cave. He said to Zhu, "Don't worry, our Master did not sleep with the demon last night. He says that he did not take off his clothes, and he did not touch her. He only wants to stay on the path of the Buddha."

"All right then," replied Zhu. "He is still a monk. let's go and save him."

The monkey and the pig ran into the cave, holding their weapons. The demon met them and they began to fight again. Fire and smoke came from the demon's mouth, and she used her trident with great skill. Sun Wukong and Zhu could not defeat her. Then she stabbed Zhu on the lip. "Oh, it hurts, it hurts!" he cried. He and Sun Wukong ran out of the cave.

They returned to the place where Sha was waiting with the horse and luggage. They sat on the ground. Zhu was crying in pain from the wound on his lip. Sun Wukong and Sha were discussing how to fight the demon. Then they saw an old woman coming up the mountain road. In her left hand she held a basket of vegetables. "Big brother," said Sha, "go talk with this woman. She lives in this area, maybe she knows something about the demon in the cave."

Sun Wukong walked towards the woman. As he got closer, he saw beautiful clouds all around her head. He dropped to his knees and said to the others, "Brothers, kowtow quickly! It's the Bodhisattva Guanyin!" All three kowtowed to her.

"Bodhisattva," said Sun Wukong, "please forgive us for not greeting you properly. Our master is in great danger and we have been unable to save him. Can you help us?"

Guanyin said, "Wukong, this demon is very, very dangerous. Her tridents are really her front claws. Your injuries came from the stinger in her tail. Yes, this monster is really a scorpion spirit. Once, a long time ago, she lived on Thunderclap Mountain. She heard a lecture by the Buddha himself. The Buddha saw her and he tried to push her away. She stabbed a finger on the Buddha's left hand. Even the Buddha found the pain to be terrible. He told some of his sages to capture her, but she ran away to this cave. She wants to become human, that is why she changed her form."

"Ah," said Sun Wukong. "Can the great Bodhisattva tell us how we can rescue our master from this scorpion spirit?"

"Go to the East Heaven Gate. Look for the Star Lord Mao . He will know how to defeat this demon spirit." Then Guanyin changed to a golden beam of light and returned to the South Sea.

Sun Wukong told the other two disciples that he was going to the East Heaven Gate to find Star Lord Mao. He used his cloud somersault to get to the gate quickly. He was met by the four Grand Masters of Heaven. "Great Sage, where are you going?" asked one of the masters.

"I must find the Star Lord Mao," replied Sun Wukong.

"You will find him at the Stargazing Terrace."

Sun Wukong flew to the Stargazing Terrace. He saw a hundred soldiers crossing the terrace. Behind them walked the great Star Lord Mao. He wore a golden cap and a jade suit of armor. A sword of seven stars hung from a wide treasure belt around his waist. The soldiers saw Sun Wukong and stopped. Mao said, "Why has the Great Sage come here?"

"Sir, my master has been captured by a scorpion spirit. He is in great danger. I and my brother disciples have not been able to

146

save him. Just now the Bodhisattva Guanyin said that you can help us to save our master."

"All right. Normally I would tell the Jade Emperor, but I can see that you are in a hurry. So I will not tell the Jade Emperor and I will not bring tea for you. let's go now!" Together they flew down from heaven and arrived at the cave.

Sun Wukong said to Zhu and Sha, "Get up, get up! The Star God is here!"

Zhu said, "I cannot get up. My lip still hurts terribly!"

"let me see it," said Mao. He looked at the lip, then blew on it with his sweet breath. Instantly the pain stopped and the lip returned to normal size.

"That's wonderful!" said Sun Wukong. "Can you blow on my head too?"

"What's wrong with your head? It looks all right to me."

"The scorpion spirit stabbed me yesterday. The pain has stopped, but it itches a lot and it feels numb." So the Star God blew sweet breath on Sun Wukong's head, and the itching and numbness disappeared.

"Now, let's take care of this scorpion spirit," said Mao. "You two, go to the cave and start a fight. Bring her outside. I will be waiting for her."

Sun Wukong and Zhu ran into the cave, weapons held high. They smashed the door to the second floor and shouted insults. The scorpion spirit was just getting ready to untie Tangseng and give him some food and drink. When she saw the two disciples coming, she jumped up and began fighting with them using her trident weapon. They fought for a few minutes. The scorpion spirit tried to stab them but they quickly ran out of the cave. The scorpion spirit followed them, stinger held high. "Quick, Star Lord, do it now!" shouted Sun Wukong.

The Star Lord changed into his true form, a giant rooster seven feet tall. He faced the scorpion spirit and crowed. The scorpion spirit changed into her true form, a scorpion about the size of a small dog. He crowed again, and the scorpion spirit fell down and died.

Without a word, the Star Lord flew into the sky and returned to the heavens. The three disciples bowed to the sky and said, "Thank you. We are sorry for causing you this trouble. Another day we will come to your palace and thank you face to face."

The three disciples went back into the cave, ready to fight the scorpion spirit's helpers. But when they arrived, the helpers all fell to their knees. One of them said, "Fathers, we are not demons. We are girls and women from Western Liang, captured by the demon a long time ago. We have been slaves here for many years. You will find your master in a room in the back of the cave. He is crying."

Sun Wukong looked at them closely. He said, "I can see that you are not demons. All right, you can leave." The disciples ran to the back of the cave, where they found Tangseng.

"I am so glad to see you!" he said. "What happened to that woman?"

"That was no woman," said Sun Wukong. "That was a scorpion spirit. Guanyin appeared to us and told us that the

Star Lord Mao was the only one who could help us. I went to the South Gate of Heaven and found the Star Lord. He came here and killed the scorpion spirit."

Tangseng thanked them again and again. Then they looked around the cave and found some rice and noodles. They had a small meal. When they finished eating, they helped the girls return to their homes. Then they lit a fire and burned everything in the cave.

After that, they set out again on their journey to the west.

Proper Nouns

These are all the Chinese proper nouns used in this book.

Chinese	Pinyin	English
敖莱国	Áolái Guó	Aolai Kingdom
宝像王国	Bǎoxiàng Wángguó	Precious Image Kingdom
车迟王国	Chēchí Wángguó	Slow Cart Kingdom
福陵山	Fúlíng Shān	Fuling Mountain
观星台	Guān Xīng Tái	Stargazing Terrace
观音	Guānyīn	Guanyin
黑公鸡王国	Hēi Gōngjī Wángguó	Black Rooster Kingdom
花果山	Huāguǒ Shān	Flower Fruit Mountain
解阳山	Jiě Yáng Shān	Male Undoing Mountain
金山	Jīnshān	Golden Mountain
流沙河	Liúshā Hé	River of Flowing Sand
昂日星官	Mǎorì Xīng Guān	Star Lord Mao
母子河	Mǔzǐ Hé	Mother and Child River
男人驿站	Nánrén Yìzhàn	Men's Post House
牛魔王	Niú Mówáng	Bull Demon King
女人国	Nǔrén Guó	Country of Women
齐天大圣	Qítiān Dàshèng	Great Sage Equal to Heaven
沙悟净	Shā Wùjìng	Sha Wujing
善财童子	Shàncái Tóngzǐ	Sudhana (Shancai)
圣婴大王	Shèng Yīng Dàwáng	Great King Holy Child
孙悟空	Sūn Wùkōng	Sun Wukong
太上老君	Tàishàng Lǎojūn	Laozi
唐	Táng	Tang
唐僧	Tángsēng	Tangseng
西梁王国	Xīliáng Wángguó	Kingdom of Western Liang
西施	Xīshī	Xi Shi
越王	Yuè Wáng	King Yue

玉皇大帝	Yùhuáng Dàdì	Jade Emperor
真仙	Zhēn Xiān	True Immortal
猪悟能	Zhū Wùnéng	Zhu Wuneng

Glossary

These are all the Chinese words used in this book, other than proper nouns.

So far in this series we have built up a total working vocabulary of about 1800 words. This story uses about 820 of those words, and they're listed here.

Chinese	Pinyin	English
啊	a	ah, oh, what
挨	āi	to lean
安静	ānjìng	quietly
吧	ba	(indicates assumption or suggestion)
八	bā	eight
白	bái	white
百	bǎi	hundred
摆渡	bǎidù	ferry
半	bàn	half
办法	bānfǎ	method
棒	bàng	rod
绑	bǎng	to tie
帮 (助)	bāng (zhù)	to help
帮手	bāngshǒu	helper
伴侣	bànlǚ	companion
半夜	bànyè	midnight
饱	bǎo	to be full (with food)
包	bāo	to wrap, bag
宝贝	bǎobèi	treasure, baby
保持	bǎochí	to keep
报仇	bàochóu	revenge
保护	bǎohù	to take care of
包子	bāozi	steamed bun

宝座	bǎozuò	throne
耙子	bàzi	rake
被	bèi	(passive particle)
北	běi	north
杯(子)	bēi (zi)	cup
被迫	bèi pò	to be forced
笨	bèn	stupid
比	bǐ	compared to, than
变	biàn	to change
变成	biànchéng	to become
婊子	biǎozi	bitch
别	bié	do not
别人	biérén	others
病	bìng	disease
冰冷	bīnglěng	icy cold
陛下	bìxià	Your Majesty
必须	bìxū	must, have to
鼻子	bízi	nose
布	bù	cloth
不	bù	no, not, do not
不理	bù lǐ	to ignore
不错	búcuò	not bad
部分	bùfèn	part, portion
不过	búguò	but
不见了	bújiànle	gone
财富	cáifù	wealth
才能	cáinéng	can only, ability, talent
厕所	cèsuǒ	bathroom
茶	chá	tea
场	chǎng	(measure word for public events)
唱(歌)	chàng (gē)	to sing
车	chē	car, cart
城(市)	chéng (shì)	city

154

成（为）	chéng (wéi)	to become
尺	chǐ	(measure word for length)
吃（饭）	chī (fàn)	to eat
吃完	chī wán	finish eating
吃惊	chījīng	to be surprised
冲	chōng	to rise up, to rush, to wash out
丑	chǒu	ugly
出	chū	out
船	chuán	boat
穿（着）	chuān (zhuó)	to wear
传来	chuán lái	came
床	chuáng	bed
穿过	chuānguò	to pass through
穿着	chuānzhe	wear
吹	chuī	to blow
出来	chūlái	to come out
除了	chúle	apart from
春（天）	chūn (tiān)	spring
出现	chūxiàn	to appear
次	cì	next in a sequence
刺	cì	to stab
从	cóng	from
从来没有	cónglái	there has never been
聪明	cōngming	clever
村（庄）	cūn (zhuāng)	village
村子	cūnzi	village
错	cuò	wrong
大	dà	big
打	dǎ	to hit, to play
大喊	dà hǎn	to shout
打败	dǎbài	defeat
大殿	dàdiàn	main hall
带	dài	to bring

戴	dài	to wear
但（是）	dàn (shì)	but, however
当	dāng	when
挡（住）	dǎng (zhù)	to block
当然	dāngrán	of course
担心	dānxīn	to worry
道	dào	path, way, Dao, say
到	dào	to arrive, towards
倒	dào	to pour
倒	dǎo	to fall
道士	dàoshi	Daoist priest
大人	dàrén	Adult, high rank people
大声	dàshēng	loud
大师	dàshī	grandmaster
大王	dàwáng	great king
地	de	(adverbial particle)
得	de	(particle showing degree or possibility)
的	de	of
得（到）	dé (dào)	to get
等	děng	to wait
第	dì	(prefix before a number)
底	dǐ	bottom
点	diǎn	point, hour
点头	diǎntóu	to nod
掉	diào	to fall, to fall out, to drop
弟弟	dìdi	younger brother
地方	dìfāng	local
帝国	dìguó	empire
地面	dìmiàn	ground
顶	dǐng	top
洞	dòng	cave, hole
动	dòng	to move, to touch
东	dōng	east

冬(天)	dōng (tiān)	winter
动物	dòngwù	animal
东西	dōngxi	thing
都	dōu	all
豆沙	dòushā	bean paste
读	dú	to read
毒刺	dú cì	stinger
渡船	dùchuán	ferry
对	duì	correct, towards someone
对不起	duìbùqǐ	I am sorry
顿	dùn	(measure word for non-repeating actions)
躲	duǒ	to hide
多	duō	many
肚子	dùzi	belly
恶	è	evil
饿	è	hungry
恶魔	èmó	evil demon
嗯	ēn	well, um
二	èr	two
耳(朵)	ěr (duo)	ear
儿子	érzi	son
法	fǎ	law
发(出)	fā (chū)	to send out
发抖	fādǒu	to tremble or shiver
饭	fàn	cooked rice
犯	fàn	to commit
翻	fān	to turn
翻动	fāndòng	to flip
放	fàng	to put, to let out
房间	fángjiān	room
放弃	fàngqì	to give up, surrender
放松	fàngsōng	to relax

放下	fàngxià	to lay down
方向	fāngxiàng	direction
放心	fàngxīn	rest assured
房子	fángzi	house
发生	fāshēng	to occur
发现	fāxiàn	to find
飞	fēi	to fly
非常	fēicháng	very much
飞过	fēiguò	to fly over
分	fēn	to share, to divide
分	fēn	penny
封	fēng	(measure word for letters, mail)
风化	fēnghuà	weathered
凤凰	fènghuáng	phoenix
愤怒	fènnù	anger
分钟	fēnzhōng	minute
佛祖	fózǔ	Buddhist teacher
妇（人）	fù (rén)	lady, madam
附近	fùjìn	nearby
盖	gài	to cover
改（变）	gǎi (biàn)	to change
改名	gǎimíng	renamed
赶	gǎn	to chase away
敢	gǎn	to dare
感（到）	gǎn (dào)	to feel
刚	gāng	just
刚（才）	gāng (cái)	just, just a moment ago
干净	gānjìng	clean
感觉	gǎnjué	to feel
感谢	gǎnxiè	to thank
高	gāo	tall, high
告诉	gàosù	to tell
高兴	gāoxìng	happy

个	gè	(measure word, generic)
哥哥	gēge	older brother
给	gěi	to give
根	gēn	(measure word for long thin things)
跟 (着)	gēn (zhe)	with, to follow
更 (多)	gèng (duō)	more
宫 (殿)	gōng (diàn)	palace
攻击	gōngjī	to attack
公鸡	gōngjī	rooster
狗	gǒu	dog
钩	gōu	hook
股	gǔ	(measure word for air, flows, etc.)
挂	guà	to hang
拐杖	guǎizhàng	staff, crutch
光	guāng	light
关上	guānshàng	to close
关于	guānyú	about
跪	guì	to kneel
过	guò	to pass
国 (家)	guó (jiā)	country
过来	guòlái	to come
过去	guòqù	past, to pass by
国王	guówáng	king
古人	gǔrén	the ancients
还	hái	still, also
还有	hái yǒu	and also
害怕	hàipà	scared
还是	háishì	still is
孩子	háizi	child
好	hǎo	good, very
好吃	hào chī	delicious
好看	hǎokàn	good looking
好像	hǎoxiàng	like

和	hé	and, with
河	hé	river
河岸	hé àn	river bank
嘿	hēi	hey!
黑色	hēi (sè)	black
很	hěn	very
和尚	héshang	monk
红 (色)	hóng (sè)	red
后	hòu	after, back, behind
猴 (子)	hóu (zi)	monkey
后面	hòumiàn	behind
划	huá	to row
化	huà	to melt
话	huà	word, speak
花	huā	flower
坏	huài	bad
怀孕	huáiyùn	pregnant
荒野	huāngyě	wilderness
回	huí	to return
会	huì	will, to be able to
挥	huī	wave
回答	huídá	to reply
回来	huílái	to come back
婚礼	hūnlǐ	wedding
活	huó	to live
火	huǒ	fire
或 (者)	huò (zhě)	or
火盆	huǒpén	brazier
活着	huózhe	alive
胡说	húshuō	to babble, nonsense
几	jǐ	several
记 (住)	jì (zhù)	to remember
集市	jí shì	marketplace

加	jiā	plus, to add
件	jiàn	(measure word for clothing, matters)
剑	jiàn	sword
见	jiàn	to see
尖	jiān	pointed, tip
肩	jiān	shoulder
讲	jiǎng	to speak
叫	jiào	to call, to yell
接	jiē	to meet
街道	jiēdào	street
结婚	jiéhūn	to marry
解决	jiějué	to solve, settle, resolve
结束	jiéshù	end, finish
机会	jīhuì	opportunity
近	jìn	close
进	jìn	to enter
紧	jǐn	tight
斤	jīn	cattie (measure of weight)
金 (色)	jīn (sè)	golden
金 (子)	jīn (zi)	gold
筋斗云	jīndǒu yún	cloud somersault
井	jǐng	well
精	jīng	spirit
经	jīng	script
经过	jīngguò	after, through
敬酒	jìngjiǔ	to toast
镜子	jìngzi	mirror
进去	jìnqù	to go in
进 (入)	jìnrù	to enter
今天	jīntiān	today
激情	jīqíng	passion
技术	jìshù	skill
就	jiù	just, right now

旧	jiù	old
救	jiù	to save, to rescue
久	jiǔ	long
酒	jiǔ	wine, liquor
酒店	jiǔdiàn	inn, hotel
舅舅	jiùjiu	maternal uncle
就是	jiùshì	just is
继续	jìxù	to carry on
举(起)	jǔ (qǐ)	to lift
觉得	juédé	feel
决定	juédìng	to decide
鞠躬	jūgōng	to bow down
拒绝	jùjué	refuse
军队	jūnduì	army
开	kāi	to open
开始	kāishǐ	to begin
开心	kāixīn	happy
砍	kǎn	to cut
看	kàn (zhe)	to look
看不见	kàn bújiàn	look but can't see
看起来	kàn qǐlái	it looks like
渴	kě	thirst
棵	kē	(measure word for trees, vegetables, some fruits)
刻板	kèbǎn	rigid, inflexible
可怜	kělián	pathetic
可能	kěnéng	maybe
可怕	kěpà	frightening
客人	kèrén	guest
可是	kěshì	but
可以	kěyǐ	can
空气	kōngqì	air
控制	kòngzhì	control

空中	kōngzhōng	in the air
口	kǒu	mouth
叩头	kòutóu	kowtow
哭	kū	to cry
块	kuài	(measure word for chunks, pieces)
快乐	kuàilè	happy
快要	kuàiyào	about to
宽	kuān	width
盔甲	kuījiǎ	armor
骷髅	kūlóu	skeleton
捆	kǔn	bundle
来	lái	to come
篮子	lánzi	basket
老	lǎo	old
雷	léi	thunder
泪	lèi	tears
累	lèi	tired
离	lí	from, away
里（面）	lǐ (mián)	inside
俩	liǎ	both
连	lián	even
脸	liǎn	face
两	liǎng	two
裂缝	liè fèng	crack
流	liú	to flow
留（下）	liú (xià)	to keep, to leave behind, to stay
柳树	liǔshù	willow
礼物	lǐwù	gift
龙	lóng	dragon
楼	lóu	floor (of a building)
路	lù	road
绿（色）	lǜ (sè)	green
旅途	lǚtú	journey

吗	ma	(indicates a question)
骂	mà	to scold
马	mǎ	horse
麻烦	máfan	trouble
卖	mài	to sell
买	mǎi	to buy
满	mǎn	full
猫	māo	cat
帽(子)	mào (zi)	hat
毛笔	máobǐ	writing brush
马上	mǎshàng	right away
没	méi	no, not have
美(丽)	měi (lì)	handsome, beautiful
没有	méiyǒu	no, not have
们	men	(indicates plural)
门	mén	door, gate
梦	mèng	dream
米	mǐ	rice
面对面	miànduìmiàn	face to face
免费	miǎnfèi	to give for free
面前	miànqián	in front
灭	miè	to extinguish
米饭	mǐfàn	cooked rice
蜜蜂	mìfēng	bee
名	míng	name
明白	míngbai	to understand
明天	míngtiān	tomorrow
名字	míngzì	first name
墨	mò	ink
魔(法)	mó (fǎ)	magic
魔鬼	móguǐ	demon
木(头)	mù (tou)	wood
拿	ná	to take

那	nà	that
哪里	nǎ lǐ	where?
拿起	ná qǐ	to pick up
那时	nà shí	at that time
那里	nàlǐ	there
那么	nàme	so then
男	nán	male
难	nán, nàn	difficult
那些	nàxiē	those
那样	nàyàng	that way
能	néng	can
你	nǐ	you
年	nián	year
念佛	niànfó	to practice Buddhism
年轻	niánqīng	young
鸟	niǎo	bird
您	nín	you (respectful)
女	nǚ	female
女孩	nǚhái	girl
奴隶	núlì	slave
哦	ó, ò	oh?, oh!
怕	pà	afraid
牌(子)	pái (zi)	sign
盘	pán	plate
旁(边)	páng (biān)	beside
跑	pǎo	to run
碰	pèng	to touch
朋友	péngyǒu	friend
片	piàn	(measure word for flat objects)
骗(术)	piàn (shù)	to trick, to cheat
漂亮	piàoliang	beautiful
皮肤	pífū	human skin
平	píng	flat

屏风	píngfēng	screen
婆婆	pópo	grandmother, mother-in-law
仆人	púrén	servant
菩萨	púsà	bodhisattva, buddha
普通	pǔtōng	ordinary
骑	qí	to ride
气	qì	gas, air, breath
起	qǐ	from, up
七	qī	seven
前	qián	in front, before
钱	qián	money
强(大)	qiáng (dà)	strong, powerful
前面	qiánmiàn	in front
桥	qiáo	bridge
奇怪	qíguài	strange
起来	qǐlái	(after verb, indicates start of an action)
亲爱的	qīn'ài de	dear
请	qǐng	please
清	qīng	clear
轻	qīng	lightly
情况	qíngkuàng	situation
请求	qǐngqiú	request
穷	qióng	poor (having no money)
其实	qíshí	in fact
其他	qítā	other
求	qiú	to beg
妻子	qīzi	wife
去	qù	to go
让	ràng	to let, to cause
然后	ránhòu	then
热	rè	heat
人	rén	person, people

认出	rèn chū	to recognize
扔	rēng	to throw
任何	rènhé	any
人群	rénqún	crowd
认识	rènshí	to understand
认为	rènwéi	to believe
日(子)	rì (zi)	day, days of life
容易	róngyì	easy
荣誉	róngyù	honor
肉	ròu	meat, flesh
软	ruǎn	soft
如果	rúguǒ	if, in case
三	sān	three
色	sè	(indicates color)
杀	shā	to kill
扇	shàn	(measure word)
山	shān	mountain
上	shàng	on, up
商店	shāngdiàn	store
伤害	shānghài	to hurt
上面	shàngmiàn	above
上天	shàngtiān	god
山谷	shāngǔ	valley
烧	shāo	to burn
射	shè	to shoot, to emit
神	shén	god
深	shēn	deep
生	shēng	to give birth
圣(人)	shèng (rén)	saint, holy sage
圣父	shèng fù	holy father
圣僧	shèng sēng	holy monk, Bodhisattva
剩下	shèng xià	remainder, rest
生活	shēnghuó	life

生气	shēngqì	angry
声音	shēngyīn	sound
绳子	shéngzi	rope
什么	shénme	what?
身上	shēnshàng	body
舌头	shétou	tongue
十	shí	ten
时	shí	time, moment, period
是	shì	is, yes
事	shì	thing
试	shì	to taste, to try
湿	shī	wet
诗(歌)	shī (gē)	poetry
石(头)	shí (tou)	stone
食(物)	shí (wù)	food
士兵	shìbīng	soldier
师父	shīfu	master
时(候)	shíhòu	time, moment, period
时间	shíjiān	time, period
事情	shìqíng	matter
侍卫	shìwèi	guard
食物	shíwù	food
手	shǒu	hand
手臂	shǒubì	arm
受到	shòudào	to suffer
守卫	shǒuwèi	guard
手指	shǒuzhǐ	finger
书	shū	book
树(木)	shù (mù)	tree
蔬菜	shūcài	vegetables
舒服	shūfú	comfortable
谁	shuí	who
睡	shuì	to sleep

水	shuǐ	water
水果	shuǐguǒ	fruit
睡觉	shuìjiào	to go to bed
说（话）	shuō (huà)	to say
四	sì	four
死	sǐ	dead
丝	sī	silk
丝绸	sīchóu	silk cloth
死去	sǐqù	die
四周	sìzhōu	all around
送（给）	sòng (gěi)	to give a gift
松开	sōng kāi	to release
碎	suì	to break up
岁	suì	years of age
所以	suǒyǐ	so, therefore
素食	sùshí	vegetarian food
塔	tǎ	tower
他	tā	he, him
它	tā	it
她	tā	she, her
太	tài	too
太阳	tàiyáng	sunlight
谈	tán	to talk
汤	tāng	soup
逃（走）	táozǒu	to escape
疼	téng	pain
甜	tián	sweet
天	tiān	day, sky
天宫	tiāngōng	palace of heaven
天空	tiānkōng	sky
天上	tiānshàng	heaven, on the sky
条	tiáo	(measure word for narrow, flexible things)

跳	tiào	to jump
听	tīng	to listen
停（止）	tíng (zhǐ)	stop
听起来	tīng qǐlái	sound
痛	tòng	pain
桶	tǒng	barrel, bucket
通关	tōngguān	clearance
同意	tóngyì	to agree
统治者	tǒngzhì zhě	ruler
头	tóu	head
偷	tōu	to steal
头发	tóufà	hair
土	tǔ	dirt, earth
吐	tǔ	to spit out
徒弟	túdì	apprentice
土地	tǔdì	land
退	tuì	retreat
推	tuī	to push
拖	tuō	to drag
脱（下）	tuō (xià)	to take off (clothes)
外	wài	outer
外面	wàimiàn	outside
外衣	wàiyī	coat
完	wán	finish
玩	wán	to play
万	wàn	ten thousand
晚	wǎn	late, night
完成	wánchéng	to complete
晚饭	wǎnfàn	dinner
王	wáng	king
往	wǎng	to
王国	wángguó	kingdom
晚上	wǎnshàng	evening

位	wèi	(measure word for people, polite)
为	wèi	for
尾(巴)	wěi (bā)	tail
伟大	wěidà	great
为什么	wèishénme	why
危险	wēixiǎn	danger
问	wèn	to ask
温	wēn	warm
问好	wènhǎo	to say hello
文书	wénshū	written document
问题	wèntí	problem, question
我	wǒ	I, me
五	wǔ	five
屋(子)	wū (zi)	room
无法无天	wúfǎwútiān	lawless
雾气	wùqì	mist
武器	wǔqì	weapon
溪	xī	stream
西	xī	west
下	xià	down, under
吓	xià	to scare
吓坏	xià huài	frightened
下来	xiàlái	down
下面	xiàmiàn	underneath
线	xiàn	thread
仙	xiān	immortal, celestial being
像	xiàng	like, to resemble
向	xiàng	towards
想	xiǎng	to want, to miss, to think of
相	xiāng	mutually
向前	xiàng qián	forward
向下	xiàng xià	downward
想要	xiǎng yào	would like to

先生	xiānshēng	sir, gentleman
现在	xiànzài	just now
笑	xiào	to laugh
小	xiǎo	small
小名	xiǎo míng	nickname
小声	xiǎoshēng	whisper
小时	xiǎoshí	hour
消失	xiāoshī	to disappear
谢	xiè	to thank
写	xiě	to write
些	xiē	some
谢谢	xièxie	thank you
蝎子	xiēzi	scorpion
喜欢	xǐhuān	to like
信	xìn	letter
心	xīn	heart/mind
姓	xìng	surname
星	xīng	star
醒 (来)	xǐng (lái)	to wake up
幸福	xìngfú	happy
行李	xíngli	baggage
兴趣	xìngqù	interest
行走	xíngzǒu	to walk
心意	xīnyì	will
胸	xiōng	chest
兄弟	xiōngdì	brother
休息	xiūxi	rest
希望	xīwàng	to hope
许多	xǔduō	many
血	xuě	blood
雪	xuě	snow
学 (习)	xué (xí)	to learn
许可	xǔkě	permission, license

需要	xūyào	to need
牙	yá	tooth
宴（会）	yàn (huì)	feast, banquet
眼（睛）	yǎn (jīng)	eye
阳	yáng	masculine principle in Taoism
痒	yǎng	itch
样子	yàngzi	to look like, appearance
宴会	yànhuì	banquet
厌倦	yànjuàn	to grow weary of
颜色	yánsè	color
摇	yáo	to shake or twist
药	yào	medicine
要	yào	to want
腰带	yāodài	belt
妖怪	yāoguài	monster
腋	yè	armpit
也	yě	also, too
夜（晚）	yè (wǎn)	night
一	yī	one
衣（服）	yī (fu)	clothes
一般	yìbān	generally
一次	yícì	once
一点（儿）	yìdiǎn ('er)	a little
一定	yídìng	for sure
以后	yǐhòu	after
一会儿	yīhuǐ'er	a while
已经	yǐjīng	already
赢	yíng	to win
硬	yìng	hard
应该	yīnggāi	should
因为	yīnwèi	because
音乐	yīnyuè	music
印章	yìnzhāng	seal

一起	yìqǐ	together
以前	yǐqián	before
一切	yíqiè	all
意思	yìsi	meaning
一下	yíxià	a bit, a short quick action
一些	yìxiē	some
一样	yíyàng	same
一直	yìzhí	always, continuously
椅子	yǐzi	chair
用	yòng	to use
永远不会	yǒngyuǎn bú huì	will never
游	yóu	journey
又	yòu	again
有	yǒu	to have
有力	yǒulì	powerful
游人	yóurén	traveler
有人	yǒurén	someone
有些	yǒuxiē	some
犹豫	yóuyù	hesitate
鱼	yú	fish
玉	yù	jade
御	yù	royal
语	yǔ	words, language
遇 (到)	yù (dào)	encounter, meet
淤青	yū qīng	bruise
远	yuǎn	far
原谅	yuánliàng	to forgive
愿意	yuànyì	willing
原因	yuányīn	reason
越	yuè	more
月	yuè	month
月 (亮)	yuè (liang)	moon

云	yún	cloud
运气	yùnqì	luck
欲望	yùwàng	desire
砸	zá	to smash
再	zài	again
在	zài	at
再见	zàijiàn	goodbye
造成	zàochéng	cause
早上	zǎoshàng	morning
怎么	zěnme	how
怎么办	zěnme bàn	how to do
怎么样	zěnme yàng	how about it?
怎么了	zěnmele	what happened
怎样	zěnyàng	how
站	zhàn	to stand
战争	zhàn zhēng	war
战(斗)	zhàn (dòu)	to fight
长	zhǎng	long, to grow
张	zhāng	(measure word for pages, flat objects)
章	zhāng	chapter
丈夫	zhàngfu	husband
找	zhǎo	to search for
找到	zhǎodào	found
照顾	zhàogù	to take care of
着急	zhāojí	in a hurry
着	zhe	(-ing)
这	zhè	this
这时	zhè shí	at this moment
这里	zhèlǐ	here
这么	zhème	such
真	zhēn	true, real
枕(头)	zhěn (tóu)	pillow

正常	zhèngcháng	normal
整个	zhěnggè	entire
争论	zhēnglùn	to argue
正直	zhèngzhí	upright
这些	zhèxiē	these ones
这样	zhèyàng	such
只	zhǐ	only
指	zhǐ	to point at
智 (慧)	zhì (huì)	wisdom
知道	zhīdào	to know
只是	zhǐshì	just
指示	zhǐshì	to instruct
只要	zhǐyào	as long as
钟	zhōng	bell
中	zhōng	in, middle
中国	zhōngguó	China
中间	zhōngjiān	middle
终于	zhōngyú	at last
种子	zhǒngzǐ	seed
住	zhù	to live, to hold
猪	zhū	pig
爪	zhuǎ	claw
抓 (住)	zhuā (zhù)	to arrest, to grab
抓痕	zhuā hén	scratch
转	zhuǎn	to turn
装	zhuāng	to fill
转身	zhuǎnshēn	turn around
转向	zhuǎnxiàng	turn to
祝福	zhùfú	blessing
追	zhuī	to chase
准备	zhǔnbèi	ready, prepare
桌 (子)	zhuō (zi)	table
主人	zhǔrén	owner

主意	zhǔyì	idea, plan, decision
柱子	zhùzi	pole, pillar
自己	zìjǐ	oneself
仔细	zǐxì	careful
棕(色)	zōng (sè)	brown
总是	zǒng shì	always
走	zǒu	to go, to walk
走近	zǒu jìn	to approach
走路	zǒulù	to walk down a road
钻石	zuànshí	diamond
足够	zúgòu	enough
嘴	zuǐ	mouth
嘴唇	zuǐchún	lip
最后	zuìhòu	at last, final
尊(敬)	zūn (jìng)	respect
做	zuò	to do
坐	zuò	to sit
左	zuǒ	left
做事	zuòshì	work
昨天	zuótiān	yesterday
左右	zuǒyòu	approximately
阻止	zǔzhǐ	to stop, to prevent

About the Authors

Jeff Pepper (author) is President and CEO of Imagin8 Press, and has written dozens of books about Chinese language and culture. Over his thirty-five year career he has founded and led several successful computer software firms, including one that became a publicly traded company. He's authored two software related books and was awarded three U.S. patents.

Dr. Xiao Hui Wang (translator), has an M.S. in Information Science, an M.D. in Medicine, a Ph.D. in Neurobiology and Neuroscience, and 25 years experience in academic and clinical research. She has taught Chinese for over 10 years and has extensive experience in translating Chinese to English and English to Chinese.

Printed in Great Britain
by Amazon